JN282139

三毛猫ホームズの〈卒業〉

赤川次郎

角川文庫
12455

目次

三毛猫ホームズの〈卒業〉

1

「卒業か……」

その呟《つぶや》きは、ごく近くにいる人間にしか聞き取れない、小さなものだった。

片山晴美《かたやまはるみ》にしても、特に耳を澄ましていたわけではないから、それが耳に入ったのは、「たまたま」だったと言うしかないだろう。

卒業？——学校でもないのにね、ここ。

晴美はチラッとその男の方を見た。

どう見ても、本人も学生には見えない。二十七、八のサラリーマンだろう。きちんと黒の上下にシルバータイ。

結婚式に出席するための典型的な服装をしている。

どこかで見たことがあるわね、と晴美は思った。でも、どこで会ったのか思い出せない。

「ニャー」

と、晴美の足下でホームズが鳴いた。

「あ、やっと来た」

晴美はホッとすると同時に、ロビーのすぐ近くのソファに座っているその男のことは忘れてしまった。

「お兄さん！」

と立ち上って、手を振る。「——遅いわよ！」

「すまん」

片山義太郎《よしたろう》は少し息を切らしていた。「間際になって、急に会議と言われて。これでも途中で抜け出して来たんだぞ」

「栗原《くりはら》さんには言ってあったんでしょ？」

「うん。でも課長もすぐ忘れるからな。ま、ここんとこ、頭の痛いことが多いからしょうがないけど」

「ネクタイ、替えて。——これよ」

「うん……。じゃ、ちょっと化粧室に行って替えてくる」

片山は晴美の用意して来たネクタイを手にして化粧室へと歩いて行く。——今日は大安のせいで、この結婚式場も人が多い。ロビーも人の行き来は多かった。

「あの……」

と呼びかけられて、

「は？」

晴美が振り向くと、さっき何やら呟いていた男である。

「あの――片山君の妹さん？」

「ええ……。そうですけど」

「そうですか？　僕は久米《くめ》といいます。もう憶《おぼ》えてないだろうけど、昔、片山君のそばで遊んでたあなたを見たことがありますよ」

「久米さん、ですか。――なんとなく、お名前は……」

と、晴美は言って、「いやだわ、お兄さん、気が付かないで」

「いや、そりゃそうですよ。もう十年近くも会ってない」

と、久米は笑った。「今日は――山田《やまだ》の結婚式に？」

「ええ、そうです」

「そうですか。いや……いい日和になりましたよね、本当に」

久米という男は、明るい表の方へちょっと目をやった。

「片山晴美です。これはうちの飼猫でホームズ」

「ニャー」

ホームズも、こんなときなので、いくらか愛想良く鳴いているようだ。

「やあ、毛並のいい猫だな」

久米は指先でホームズの鼻にちょっと触れた。慣れた手つきだ。

「猫、飼ってらっしゃるんですか」

「いや、昔、飼ってたことがあるんです」

と、久米は言った。「猫って面白いですよね。自分でいやとなったら絶対いや。人間のご機嫌をとったりしないし、わがまま勝手で……。まるで女性のようだ」

ふっと、その一言には本音らしいものが混って、当人もハッとした様子。

「ま、女性によりますけどね」

と、取ってつけたように付け加える。

「結婚される山田裕介《ゆうすけ》さんって、私はよく存じ上げないんですけど」

「僕も、ずいぶん久しぶりですよ。よく招待してくれたな、と思ってるくらいなんです」

「確か高校のお友だちでしょ？　兄はさっぱり話してくれないので」

このところ大きな事件が続いて、警視庁捜査一課の刑事は大忙しなのである。

「山田の奴は、家が金持でね。悪い奴じゃなかったけど、なにかと敬遠されがちな男でしたね」

と、久米は言った。

「花嫁さんのことはご存知？」

「いや、さっぱり」

と、久米は首を振った。「確か——招待状だと、〈落合《おちあい》さん〉っていうんでしたっけね。

落合……そう、〈みゆき〉だ。落合みゆき」

「みゆきがなんであんなのと？」

という女性の声が響いて来た。

「ねえ。最悪じゃない、あの山田とかっての」

「私なら、どんな金持でもごめんね」

「へえ。何言ってんの、おじさま相手に不倫してるくせして」

「私は別に……。ぜいたくしたくて不倫してるんじゃないもん。好きになった人が、たまたまお金を持ってただけ」

「よく言うよ」

「何よ」

「ちょっと！　結婚式の前に喧嘩《けんか》はやめようよ」

「はいはい。ともかく、こちらは素直にみゆきを祝福してりゃいいわけでしょ」

「でも……。いいのかなあ」

「何が？」

「だって……みゆきって、あの人と——」

「金よ、金。お金がなくちゃ、いくら好きだってね」

「そうかしら。でも……」

「さ、もう行きましょ」

ガサゴソと音がするのは、お化粧の道具をバッグにしまっているのだろう。

――何人の女性がしゃべっていたのかも、片山にはよく分らなかった。

男女の化粧室は当然隣り合せで、その洗面台の天井辺りに細い隙間があるらしい。声がタイル貼りによく反響することもあって、はっきり聞こえてくるのである。

山田、と言っていたのはたぶん高校時代の友人、山田裕介だろう。結婚相手が〈みゆき〉というのも、確かそうだったと思う。

今の話の様子では、しゃべっていたのは〈みゆき〉の会社の同僚か、それとも学生時代の友人たち。

そして、一人は年上の男性と不倫中。〈みゆき〉には付き合っていた男がいるが、どうやら金がないらしく、別れて山田と一緒になることにした、というところか。

やれやれ……。

やっとネクタイがしめられて、ホッと息をつく。長さがなかなかうまい具合にいかなかったのである。

外したネクタイをポケットに入れ、ついでに髪にクシを入れると、なんとか披露宴に出てもおかしくない頭になる。

「行くか」

と呟いて、化粧室を出たところで、

「ワッ！」

「キャッ！」

ちょうど女性用の化粧室から出て来た女性とぶつかってしまった。

ハンドバッグが落ち、中身が飛び出してしまう。片山は焦って、

「失礼しました！」

と、あわててかがみ込んで拾おうとした。

「いいんです。あの——ごめんなさい」

と、その女性の方も真赤になって、「私がぼんやりしてたもんですから」

片山は、口紅だのコンパクトだのを拾い集めた。ライターもある。

「いや、僕の方こそ」

「どうもすみません」

と、その女性は頭を下げた。

片山は、少し地味な感じのその女性が、今話をしていた何人かの一人だと気付いた。

声からして、〈みゆき〉に好きな人がいたはずだと言っていたのが、この女性らしい。

みんな出て行ってしまったと思っていたのだが、どうやら一人だけ遅れていたらしいので

ある。

「何も壊れなかったかな」

と、片山は訊《き》いた。

「大丈夫ですわ」

と、その女性は言って、「あ……」

パカッと開いたコンパクト。中の鏡に、きれいにひびが入っている。

「やあ、割れちゃいましたね。すみません。あの――弁償しますよ」

と、片山は言ったが、

「鏡が……割れるなんて」

と独り言のように、「縁起でもないわ」

そう言うと、何か思い詰めたような顔になって、タッタッと足早にロビーへ出て行ってしまった。

「あの――」

弁償しなくてもいいのかな？　片山は首をかしげたが、向こうがそんなこと、考えてもいない様子なのだから、追いかけて行ってまで詫《わ》びることもあるまい、と思った。

肩をすくめて、晴美とホームズの待つソファの方へ歩いて行くと、晴美は誰やら男と話し込んでいる。

「あ、お兄さん。こちら――」

「やあ。片山、変らないな。久米だよ。久米昇《のぼる》」

片山は目をパチクリさせて、高校時代に丸々と太っていた少年の面影をその笑顔にやっと発見した。

「久米か！　びっくりした。ずっとここにいたのか？」

「そうさ。さっきお前が来たときもな」

「そいつは失礼。しかし――体型が変ったじゃないか」

「お兄さん、失礼よ」

と、晴美が兄の脇腹をつつく。

「いや、確かにその通りでね」

と、久米が笑って、「昔は『関取』なんて呼ばれてましたから」

「懐しいな。でも、元気そうじゃないか」

上背があり、がっしりとした体つきは、石津《いしづ》とも似たところがある。

「病気でやせたわけじゃない。ちゃんと体のためを思って、努力してやせたんだ」

「そうか。――山田と、最近会ったか？」

「電話で話しただけさ。ここ何年も没交渉だったからな。片山、お前――独身だって？」

「うん。晴美から聞いたのか」

「他にいないでしょ」

「いや、晴美さんもきれいなレディになったな。びっくりしたぞ、話を聞いて」

「やかましくなっただけさ」

と、片山が言って、晴美の肘《ひじ》で思い切り脇腹を突かれる。「いてて……」

久米がふき出した。

「いや、昔から仲のいい兄妹だったからな、お前のとこは」

「そうですか？」

と、晴美は澄まして言った。

「みゆき。――みゆき、知りません？」

と、声がして、三人は一斉に振り向いた。

「あの、みゆきが……」

と、誰かれ構わず捕まえて訊いているのは、五十くらいかと思える、少しくたびれた感じの女性で、一応黒のスーツを着てはいるが、なんだか結婚式というよりお葬式に出そうな雰囲気であった。

「落合さん」

と、足早にやって来たのは、さっき片山が化粧室の出口でぶつかった女性。

「あ、出谷《いでたに》……さんでしたっけ」

「ええ、出谷圭子《けいこ》です。みゆきさん、控室に戻られましたよ」

「まあ！　どこへ行ってたのかしら、あの子ったら」

と、母親らしいその女性は、大げさなほど胸をなでおろして安堵《あんど》の息をついている。

「なんだか、ウエディングドレスにつける飾りが気に入らなくて、相談に行ってたんですって」

と、出谷圭子という女性が言った。「でも、結局、いいのがなくて戻って来たそうですけど」

「私に一言言って行けばいいのに！　どこへ行ったかと思って心配するじゃないの、あの子ったら」

と、母親は本気で腹を立てている。

「落ちついて下さい。本人も緊張してるんですよ、もうじき式ですから。さ、戻りましょう」

「ええ、どうも……。お手数をおかけしてごめんなさいね、本当に……」

あの出谷圭子という娘、なかなか面倒見が良さそうである。片山は好感を持った。いや、だからといって、そんなことを口に出そうものなら、晴美に何を言われるか分らない。

「さ、そろそろ私たちも行きましょう」

と、晴美が言って、「ホームズ、行くわよ。――どうしたの？」

「ニャー」

ホームズは、何を考えているのか、人の行き来の中へ紛れて行く、出谷圭子と落合みゆきの母親の後ろ姿をじっと見送っている。

「ホームズ……」

晴美は、そっと呼びかけた。「何かありそうなの？」

「おい、晴美」

と、片山がため息をつく。「ここは結婚式場だぜ」

「分ってるけど――」

と言いかけて、「そう。――そうね。おかしいわ」

「何が？」

「今の母親よ。花嫁が控室にいなかったからって、あんな風に心配する？　普通だったら、ただ戻ってくるのを待ってるでしょ。それを、どうしてロビーまで捜しに来るわけ？」

「うん……。そりゃまあ確かにおかしいけど……」

「ね、何か事情がありそうよ」

「だからって、殺人事件が起るってわけじゃないだろ」

「分んないわよ。ねえ、ホームズ？」

「ニャー」

晴美もホームズも、もちろんこのときはジョークのつもりだったのである。

2

新郎は、純白のタキシードというスタイル。片山などにはとても着る気になれない代物だった。

「久しぶりだな」

「片山か。——よく来てくれた」

と、片山は山田裕介の手を握った。「おめでとう。僕はまだ独り者だ」

「いいじゃないか、可愛い妹さんがいて」

山田裕介か……。そう。こんな奴だったっけ。

少なくとも見たところはあまり変っていなかった。中肉中背の体型も、いくらか太めになったものの、そう変化はない。

それに——もともと山田はどこか、さめた、というか、大人びたところがあって、みんなと一緒にワーッと騒ぐのが好きでないタイプだった。その辺は片山とも似たところがあって、なんとなくお互いに憶《おぼ》えていたのかもしれない。

もちろん、片山と違って、山田の家は大変な金持ではあったのだが。

式場へ向かうというので、廊下にゾロゾロと親戚《しんせき》などが出て来ている。

「――おい片山」

と、山田が、片山の肩を抱くようにして、廊下の隅の方へ連れて行くと、「お前、刑事だって?」

と言った。

「え? まあ……。そうだけど。どうしてさ?」

「うん……。ちょっとな」

と、山田は曖昧《あいまい》に、「相談したいことがあるんだ。後で時間、あるか」

「そりゃ、僕はあるけど――。そっちがないんじゃないのか」

「披露宴が終るまでは無理だな」

と、山田は肯《うなず》いて、「その後で、少し待っててくれないか」

「ああ。――構わないよ」

片山としては、なんだかいやな気分である。何か悪いことが起らなければいいのだが。

「彼女だ」

と、山田が言った。

純白のウエディングドレスに身を包んだ花嫁が、静かに廊下へ出てくる。

「すてき」

と、晴美も「予感」の方は取りあえず忘れて、その姿に見とれている。

落合みゆきは、二十六歳ということだったが、小柄なので若く見えた。色白で、可愛い顔立ちである。

そのそばに付添っているのは母親。さっきロビーで娘を捜していた女性である。落合清《きよ》子《こ》というのだと片山は紹介されていた。

「裕介」

と、やって来たのは、山田の母親、山田早百合《さゆり》。「仕度はいいの？」

「うん。僕の方は大丈夫」

式場の係の女性が足早にやって来ると、

「お待たせいたしました。どうぞ」

と、先に立つ。

「――なんですって、新郎さん？」

と、晴美が片山と並んで歩きながら訊いた。

「何か相談があるってさ」

「捜査一課の刑事に、わざわざ？」

「そこまで考えてのことじゃないだろ。何か駐車違反とか、そんなことだよ、きっと」

「希望的観測ね」

と、晴美は手厳しい。

「何もない方がいいじゃないか」

「もちろんそうよ。でも、お兄さんも私も、その点、ついてるからね」

「ついてないって言うんだろ」

「考え方ね」

二人は小声でしゃべりながら、式の行なわれるチャペルへと入って行った。

オルガンが鳴る。

式場内のチャペルだから、そう大きくはない。オルガンといっても電子オルガンだし、アルバイトの聖歌隊が五人。

しかし、それはそれなりに、雰囲気というものを作り出しているのだった。

もちろん式は、片山の心配していたようなこと——殺人事件が起るといったこと——は全くなく、ごく当り前に進行して行った。

花嫁が入場して来て、ぐっと盛り上る。花嫁をエスコートしているのは、花嫁の上司で、かつ遠い親類でもあるという男性。

もう五十代の半ばを過ぎていて、髪はほとんど白くなっている。

高山肇《たかやまはじめ》というのがその名前で、「片山」と「高山」。紛らわしいね、と片山は思ったりした。

落合みゆきも、山田裕介も父を亡くしているという点、共通している。どっちの母親もなかなかしっかり者という点でも。

そして、新郎と新婦が二人で牧師の前に並んで立った。——音楽も止《や》み、シンと場内は静まり返った。

エヘン、と咳払《せきばら》いして、おそらく今日だけで何組も式をこなしているらしい牧師が、やや疲れた表情で口を開きかけたときだった。

バタンと出入口の扉が大きく音をたてて開いた。みんな一斉に振り向く。

「やめろ！」

と、そこに立った男が怒鳴った。「その結婚はやめろ！」

誰もが呆気《あつけ》に取られている。

その男は、どこかの工場の作業中に抜け出して来た、という格好で、作業服にズック靴。ハアハア息を切らしている。まだ若い、たぶん二十四、五の青年である。

「久志《ひきし》さん！」

と、花嫁が叫ぶように言った。

「みゆき！　やめろ！　そいつと結婚しちゃいかん！」

と、その男が怒鳴る。「考え直してくれ！」

「ちょっと……」

と、みゆきの母、落合清子がバージンロードへ進み出て、「出てってよ！　なんだと思ってるの！　人の結婚式を邪魔して！」

と、甲高い声で言った。

「僕はみゆきさんを愛してるんです！」

と、その男は言った。

「みゆきはあんたのことなんか、愛しちゃいないわよ。立派な男性と結婚すると決めたんだからね。出てかないと、人を呼ぶわよ！」

「みゆきさんだって、僕を愛してるんだ」

と、男は言い張った。「みゆき！　本当のことを言ってくれ！」

牧師は面食らって、おどおどするばかり。

アルバイトの聖歌隊の女の子たちが一番面白がっていたかもしれない。

落合清子が呼ぶまでもなく、式場の係の男が二人駆けつけて来て、

「何ごとです？」

「良かったわ。この人、つまみ出してちょうだい」

「いやだ！　みゆき自身の口から言われるまでは、ここを動かないぞ」

「あのね――困るんですよ」

と、式場の男はオロオロして、「後がつかえてるんです。ここで遅れると、後、ずっと遅れちゃうんです。もめるのは、これがすんでからに——」

凄《すご》い理由だ、と片山は感心した。素直なのだとも、言えば言えるだろう。

「待って！」

と、花嫁の叫び声で、みんなが黙った。

「みゆき！」

と、母親が言った。「この男に言っておやり。もうお呼びじゃないって」

「お母さん……。久志さん」

と、みゆきは呟《つぶや》くように言ったと思うと、「——久志さん！」

と叫んで、ワッと駆け出した。

「みゆき！」

止めようとした母親を突き飛ばし、花嫁はウエディングドレスの裾《すそ》をからげて、作業服姿の男へと駆け寄る。

「みゆき！」

「久志さん！　行きましょう！」

「よし！」

二人が手を握り合って駆け出して行くのを、誰もが呆然《ぼうぜん》として見送っていた。

「ちょっと！　早く捕まえてよ！　あの二人を追いかけて！」

と、落合清子が一人で喚《わめ》いている。

が、式場の男は、今度はいやに落ちついてしまって、

「残念ですが、その暇はありません」

「なんですって？」

「たとえ、連れ戻しても、すんなりと式が運ぶとは思えません。そうなると、ますます時間の遅れがひどくなります。ここは一旦《いったん》式を中止していただいて……」

「あのね――」

「やむをえません。この式場も、披露宴会場も今日は時間の余裕が全然ないんです」

「だからって――」

「では、皆さん」

と、そのとき、牧師が勝手に宣言した。「これにて式は打ち切りとします」

「――なんだ、今の？」

と、片山は唖然《あぜん》として、晴美に言った。

「〈卒業〉ね」

「なにが？」

「知ってるでしょ。結婚式の最中に花嫁が男と一緒に逃げ出すやつ」

「ああ、映画の話か。――そういや、そっくりだな」

本当なら、こんな呑気《のんき》なことを言っていられる場合ではないのである。

「なんてことでしょ！　誰か――誰かみゆきを連れ戻して！」

と、落合清子が騒いでいるが、誰も答える者はなかった。

どう言っていいものやら、見当がつかないのであろう。――で、結局、

「ニャー」

と、ホームズが一つ鳴いて、この場は終ったのである……。


「そりゃドラマチックでしたねえ」

石津が「ドラマチック」なんて言葉を使うとなんだか妙である。

しかも、大盛りのチャーハンをペロリと平らげながらで、片山から見ると、石津の食べっぷりの方がよっぽどドラマチックであった。

「僕も見たかったなあ」

「でも、後で思ったわ」

と、晴美が言った。「逃げた二人はなんとでもなるでしょうけど、逃げられた方は困るわよね」

――あの式場での出来事の翌日、中華料理店で片山たちは一緒に夕食をとっていた。

「ホームズ。はいチャーシュー」

「ニャー」

「で、披露宴も中止ですか」

「当り前だ。花嫁抜きでやれるか」

「でも――料理はどうしたんでしょう？」

と、石津は本気で心配している。「従業員が食べたんですかね」

「訊《き》いてくるか？」

「大損害には違いないわね、あの山田さんって人」

「うん……。人の評判ってもんもあるけどな」

確かに、一番面目丸潰《まるつぶ》れになったのは、山田裕介である。花嫁に逃げられてしまったのだ。しかも、大勢の客の目の前で！

しかし、片山は山田が客たちに、

「ご迷惑かけて」

と、少しも悪びれずに挨拶《あいさつ》しているのを見て感心したものだ。

なかなか、ああも冷静ではいられまい。

「高田《たかだ》っていうんですってね、あの恋人」

「落合みゆきと逃げた男か？」

「そう。高田久志。高卒で、どこかの自動車修理工場で働いてるんですって」

「よく仕入れたな、そんな情報」

「みゆきさんの同僚の女の子としゃべってたら教えてくれたのよ。高田って人のこと、応援してたらしいから、あのドラマに感動してたわ」

片山は、化粧室の出口でぶつかった女の子のことを思い出した。そう——出谷圭子といったか。晴美が話したのは、あの子かもしれない。

「ま、世の中、色んなことがあるさ」

片山としては、その一言で片付けておきたかったのである。これがきっかけで、何かもつれるようでは困る。

頼むから、妙なことにならないようにしてくれよ、と祈るような気持だった。

しかし、片山の祈りはたいていの場合、聞き届けられないようにできている。

「あら。——噂をすれば」

と、晴美が顔を上げて言った。「高田さんのことを教えてくれたの、あの人だわ」

店に入って来たのは、やはり出谷圭子だった。かなり焦っている様子で中を見回し、片山たちを見付けると、

「良かった！」

と、急いでやって来た。

「よく分ったわね、ここが」

「警視庁で教えて下さって。片山さん、刑事さんだったんですね」

課長だ！　行先をはっきりさせとくのも考えもんだ、と片山は思った。

「何かあったの？」

と、晴美が訊く。

「あの……すぐ来てほしいって。みゆきさんが」

「みゆきさんが？」

「会社へ電話が入って来たんです。なんだか、切羽詰ったような口調でした」

「でも――どうして警察に？」

「みゆきさんが言ったんです。『殺されるかもしれないの』って」

片山たちは食事を中断することになった。石津だけが食べ終えていたのは、幸いだったと言うべきかもしれないが……。

3

「〈卒業〉って、こんな風じゃなかったわよね」

と、晴美が言ったのは、ジョークでもなんでもなかった。

大体、ジョークを口にしたくなるような気分ではなかった。——目の前に死体が、それも純白のウエディングドレスを血で真赤に染め上げた、悲惨な状態で横たわっているのだから。

「おい……。窓を開けてくれ」

と、片山が言った。

「お兄さん、大丈夫?」

「どうか……なさったんですか?」

と、出谷圭子が訊く。

「兄は血を見ると貧血を起すたちなの。大丈夫。死にゃしないから」

晴美の言葉に、片山としては、「死ななきゃいいってのか!」と言い返してやりたいところだが、とてもその元気はない。

「こんな……」

と、出谷圭子は放心したような表情で、「こんなことになるなんて!」

「——今、みんな来ますよ」

石津が外から戻って来た。

「そうか」

片山は部屋の中を見回して、なんとか死体から注意をそらそうとした。

もちろん、殺されているのは花嫁——落合みゆきである。刃物の傷と思えるものが、胸や背中に三ヵ所以上はある。

「ここは、どうして知ってたの？」

と、晴美が圭子に訊いた。

「このモテルですか？　みゆきさんが言ったんです、電話で」

「当然、高田久志と二人で来たんでしょうね。そして——何があったのか。二人は争った。高田久志はカッとなり、みゆきさんを刺して逃げた」

「信じられないわ」

と、圭子がため息をつく。

「可能性よ。もちろん、別の犯人ってことも、ありえないことではないわ」

晴美の言葉も、慰めにはならないようだった。

「おい、石津。このモテルの近くを捜してみよう。もしかすると、この近くでうろうろしてるかもしれない」

片山としては、ここを出たかった、という気持もあったが、それだけではない。こんな風に、好きだった女を殺したりした男は、後で悔んで、現場付近をうろついていることも多いのだ。

「気を付けて、お兄さん。刃物を持ってるのよ」

「分ってる」

「ホームズ。ついてってあげなさい」

「ニャー」

妹と猫に気をつかわれる刑事というのも珍しいだろう。

石津、ホームズと連れ立ってモテルを出た片山は、この付近をぐるっと回ってみた。郊外なので、裏手は雑木林になっている。

「——見当らないな。おい、戻るか」

と、片山が言ったとき、サイレンが遠くから聞こえて来た。「やっと来たか。遅いな」

「道に迷ったんですかね」

「ともかく——。あれ？　ホームズ。どこだ？」

片山がキョロキョロ周りを見回すと、

「ニャー」

と、声がして、ホームズが雑木林の茂みの中から顔を出している。

「どうしたんだ？」

ホームズが、せかすように一声鳴いて、茂みの中へ姿を消す。

「なんでしょうね」

「行ってみよう。——おい、先に行ってくれ」

「はあ」

石津はなんといっても体が大きい。石津が茂みをかき分けてくれれば、後に続く人間は大分楽というものだ。

「——車ですよ、片山さん！」

林の中へ入った石津が声を上げた。

レンタカーらしい車が、木々の間へ車体を無理にねじ込むようにして停っている。

「エンジンがかかってる」

片山が駆け寄って、中を覗《のぞ》き込んだ。

「ニャーッ！」

ホームズが飛び上ると、車の窓を細く開けた隙間へ差し込んであるホースをくわえて、引きずり出した。

「排気を車の中へ入れたんだ！」

「自殺ですか」

「ドアを開けろ！」

石津が窓を力任せに押し下げ、ロックを外すと、ドアを開けた。ひどい匂いにむせ返った。

「引張り出せ！」

石津が、ぐったりしている男を引きずり出した。あの高田久志である。

「どうだ?」

「まだ息があるようです」

「よし! 運ぼう。お前おぶって来てくれ。急いで救急車を手配する」

片山は茂みを突き抜けて、モテルへと戻って行った。石津が高田を背負ってその後を急ぐ。

しかし、ホームズは……。しばらくじっとその車を眺めていたのである。


「信じられん」

と、高山肇は呟《つぶや》くように言った。「本当に死んだのですか、落合君は?」

「残念ですが」

と、片山は肯《うなず》いた。

「いや……。とんでもない結婚式になってしまったものだ」

ため息をついて、高山は腕組みをした。

高山肇は、あのチャペルでの挙式のとき、花嫁の腕を取っていた、みゆきの上司である。

「みゆきさんは直属の部下だったんですか」

会社の会議室で、片山は高山に話を聞いているところだった。

「ええ。親戚といっても——あの子の父親が私の従兄《いとこ》で……。ずいぶん遠い親戚です。ただ、父を亡くしたとき、多少力になってやったりして。それ以来、あの子も何かと私に相談に来たりしてくれていたのです。ここに就職したのも、私の紹介で。しかし、よく仕事はしてくれていました」

高山は、首を振って、「しかし——どうしてあんないい子が」

と、タバコを取り出し、火を点《つ》けた。

「失礼します」

と、お茶を運んで来てくれたのは、出谷圭子である。

「あ、どうも。大変だったね」

「ええ……。片山さんも、大丈夫ですか、もう？」

刑事が心配されるのでは困ったものだ。

「なんとかね。——君は、落合みゆきさんと親しかったんだね」

「はい。でも……」

「でも？」

高山が灰皿へタバコを押し潰《つぶ》すと、

「私は失礼してもよろしいですか」

と、腰を浮かした。「ちょっと別件で来客が——」

「もちろんです。どうぞ」

　高山が出て行った後、出谷圭子はソファにかけて、

「部長さん、ショックだったんだわ、きっと」

と言った。

「どうして?」

「タバコ、やめてらしたのに。今、無意識に喫《す》っておられましたものね」

「なるほど。――君は、みゆきさんに今度の結婚のことで、何か話を聞いていた?」

「いえ……。そりゃ細かいことは話しましたけど。でも、悩んでました、彼女」

「どんなことで?　やっぱり高田久志のことかな」

「だと思います。でも、私が訊《き》いても教えてくれないし、はっきりそうとも言い切れません」

出谷圭子は、そう言いながら、何かもの言いたげな様子だった。

「何かあったんじゃないのかな?」

「え?」

「どうも、胸の中につかえてるものがある。――そんな様子だけど」

圭子は少し迷ってから、

「あの人――高田さんは、助かりそうですか」

と訊いた。

「高田久志？　今のところ意識不明でなんとも言えない。ここ何日かがヤマだろうね」

「そうですか……」

と、圭子は眉《まゆ》をくもらせ、「でも――本当に高田さんがやったんでしょうか」

「君はそう思わないの？」

「いえ……。よく分りません。ただ、みゆきさんから聞いていた高田さんのイメージからすると、とてもそんなことする人じゃないような気がするんです。でも自殺しようとしたってことは、やっぱり……」

「いや、そうとも限らないよ。自殺と見せかけた殺人未遂とも考えられる」

圭子は身をのり出して、

「そうでしょうか？」

「意識が戻れば、いずれははっきりするだろうけどね」

「そうですね」

なんとなく、何か言いたいことを内に秘めている。――片山には、そんな風に思えた。

「何か話したいことを思い出したら、ここへ電話をくれないか。何時でもかまわないからね」

こんなときは無理に訊き出そうとするよりも、考える時間を与えること。――これが片山のやり方である。

「はい」

明らかに、圭子はホッとした様子で片山のメモを受け取った。「あの――」

「なんだい？」

「いえ……。山田さん、どうしたのかな、と思って」

「山田裕介？　ああ、確かにショックだったろうけどね。君は山田のことを知ってるのかい？」

「いいえ。でも――みゆきさんからも、山田さんのことって、ほとんど聞いたことがなかったんです。結婚相手のことなら、もっとみんなにしゃべっても良さそうなものだったけど……」

「なるほど。まあ、いい奴だよ。あの後でも決してみゆきさんを責めていなかったしね」

「山田さんって、片山さんのお友だちなんでしょう？」

「友だちといっても……。そう親しくはないけどね」

「でも、どこか似てる」

片山は出谷圭子の言葉に面食らって、

「僕が山田と？　ちっとも似てないよ」

「いいえ」

と、圭子は首を振って、「相手の女性のことを、第一に考えるやさしさ。それが片山さんと似ているんです」

「そうかね……」

片山は、どうして出谷圭子が突然そんなことを言い出したのか、戸惑った。

「片山さんたちの世代って、みんなそうなの？　そんなわけないですよね。どの世代でも、女の気持の分る人と、分らない人とがいるんだわ」

「僕は『分らない』方の代表だ」

「とんでもない」

と、圭子は首を振って、「片山さんは、女の気持がよく分る方です」

「でも――」

「本当です。私には分るの」

と言うなり、出谷圭子はソファからパッと腰を上げたと思うと、片山の口にチュッと素早くキスをした。

「――何してるんだ？」

片山は唖然《あぜん》とし、かつ真赤になる。

そのとき、ドアが開いて、受付の制服の子が、

「あの……片山さんですか」

「——え？」

片山はハッと我に返って、「僕だけど」

「お電話です」

「ありがとう」

「この部屋へつなぎます」

と、その女の子が戻って行き、すぐに電話が鳴る。

「——はい、片山です。——もしもし？」

向こうは何も言わない。と、思ったら、

「片山さん！」

と、鼓膜がしびれるような大声が飛び出して来た。

「馬鹿！　突然でかい声を出すな！」

と、片山は言い返して、「どうしたんだ？」

「僕に——どうして言ってくれなかったんです？」

と、石津は言った。

どうやら大真面目である。

「なんのことだよ」

「分ってるくせに。——晴美さんです」

「あいつがどうした？　晴美が男だったとでも言うのか」

「片山さん！」

「分った分った。何をそんなにショックを受けてるんだ？」

「さっき——晴美さんへ電話したんです」

と、石津は今にも泣き出しそうな声。「そしたら、『今日は早退するの』って……」

「具合でも悪いのか」

「デートなんだそうです」

「——なんだって？」

「デートだって。はっきりそう言ったんです！　僕は一体どうしたら……」

「落ちつけよ。誰とデートだって？」

「知りません。男でしょ」

「そうむくれるな。おい、晴美が本気で男と付き合うつもりなら、お前にいちいちそんなこと言うもんか。そうだろ？　何かわけがあるんだよ」

「そうでしょうか？」

「そうだよ」

「そうですね」

と、石津はホッとした様子で、「いや、良かった、片山さんに電話して。これで安心して昼飯が食べられます！」

「そうか」

――片山は、電話を切って、「信じられない奴だな」

と、呟《つぶや》いた。

そして、ニコニコ笑いながら自分の方を見ている出谷圭子に気付いて、ドキッとする。

「片山さんって、やっぱりやさしいんだ！」

と、圭子が言った。

「じゃ、お邪魔してどうも」

片山は、あわてて部屋を飛び出したのである。


一方、石津を嘆かせつつ、晴美がデートしていた相手は、久米昇だった。

あの結婚式場で会った、兄の友人である。

「――本当に来てくれて嬉《うれ》しいよ」

と、停っている車のハンドルに手をかけて、「どこへ行こうか」

「そうね。どこでもいいわ。二人でゆっくりできる所なら」

と、晴美が助手席で言った。「他人の邪魔の入らない所ね」

「へえ……。まあ、そんな所があるかどうか……」

「どこかのホテルに入りましょ。少し行くと、沢山あるはずよ」

「君――積極的なんだね、ずいぶん」

と、久米は圧倒されている。「片山君に悪くない？」

「構やしないわ。もう子供じゃないもの」

と、晴美は言った。「後で、あなたに暴行された、って訴えるだけ」

「なんだって？」

「それがいやなら、話して」

「何を？」

「〈卒業〉のこと」

久米がドキッとした様子で、晴美を見る。

「ロビーで、あなたの呟くのを偶然聞いたの。『卒業か……』って言ったわ。なんのことだろう、と不思議だった。でも、後で分ったの。――落合みゆきと高田久志があぁして逃げるのを、あなた、知ってたんでしょ」

久米は、晴美から目をそらした。

「今さらごまかさないで。もし私の口をふさごうとしても――」

「ニャー」

「ワッ！」

久米がびっくりして飛び上った。

「ホームズが、ちゃんと後ろの席に控えてるわよ」

「君は……面白い子だったよ、昔から」

と、久米はため息をついて、「黙ってる、って約束なんだ」

「人殺しがあったのよ。一人は死んで、もう一人は重体。——本当のことを知る必要があるの」

と、晴美は言った。「もし、別に犯人がいるとしたら、一刻も早く逮捕しないと、別の犠牲者が出るかもしれない」

久米は少し情ない顔で晴美を見て、

「君は説得力のある人だ」

と言った。「分った。——確かに、あの二人の行動は、予定されていたんだ」

「あなたは、誰からそれを聞いたの?」

久米は、ちょっといたずらっぽい表情になって、

「誰だと思う?」

「あなたに訊《き》いてるのよ」

「分った分った。——僕は打ち明けられてたんだ。二人が逃げるのを、誰かが邪魔しようとしたら、何か騒ぎを起して、どさくさ紛れに二人を逃してやってくれって。——山田裕

介から頼まれてたんだ」

「なんですって？」

晴美が啞然《あぜん》として、「誰から？」

「山田さ。――そう、花婿に頼まれてたんだよ」

4

「すまん」

と、山田が頭を下げた。「どう話したものか、分らなくなって。それで黙ってたんだ」

「どういうことなんだ？」

と、片山は訊いた。

「うん……」

山田は、ちょっと頭をかいて、「頼まれたんだ、みゆきさんに」

「みゆきさんに？」

――片山たちは、山田裕介が仕事を終えて会社を出てくるのを待って、小さなスナックで待ち合せたのである。

「どういうことだ、それは？」

「うん……。僕はみゆきさんと見合をした」

と、山田は言った。「で、僕の方は一目で気に入ってしまった。お見合はホテルのレストラン。食事の後、二人で庭を散歩、というお決りのコースだった。ところが——突然みゆきさんが僕の前に両手をついて、『どうか断って下さい!』と言ったんだ。で、びっくりして……」

「つまり、高田という恋人がいる、と聞いたわけか」

「そうだ。僕としては残念だったが、仕方ない。しかし、色々話を聞いてみると、みゆきさんがたとえ僕と一緒にならなくても、母親の方は高田との間を認めそうにない」

「そりゃそうだろうな」

「それなら、みゆきさんはまた別の見合をするはめになる。——なんとかうまい手はないか、と考えていて……。ふと、思い出したのが、あの映画〈卒業〉のラストシーンだ。あれをやったらどうだろう? 僕はみゆきさんに話した。一旦《いったん》僕と結婚するということにすれば、母親も安心する。で、当日、高田と二人で逃げる。それもみんなの目の前で。それなら、母親ももう諦《あきら》めるだろう」

片山は呆《あき》れて、

「しかし——山田、君の方が……」

「もちろん、僕は笑いものさ。しかし、構やしない。その内、みんな忘れるよ。それに、少なくともみゆきさんを幸せにできると……。そのときはそう思ってたんだ」

「――びっくりした」

と、晴美がため息をついて、「お兄さんの世代って、やさしいのね」

「いや、僕も、その事件で、誰か同情してくれる女性がいるかもしれないと思ったんだ」

と、山田は言って、「だが……あんな結果になってしまった！　僕はとんでもないことをしてしまったんだろうか……」

片山はなんとも言えずに、沈痛な山田の表情を見ていたが、

「――それはおかしいわ」

と、晴美が言った。「その通りなら、高田久志がみゆきさんを殺す理由なんて、ないじゃない」

「そうだ」

と、片山も肯《うなず》く。「そうなると、やっぱり高田は犯人じゃない」

「じゃ、誰がやったの？」

片山は少し考えていたが、

「――高田に訊こう」

と言って、立ち上った。

「石津さん」

晴美が声をかけると、石津は飛び上りそうになった。

「晴美さん！」

「しっ！　病院の中よ」

「す、すみません」

石津はあわてて左右へ目をやると、「晴美さん……。あの——デートの方は？」

「デート？」

晴美は訊き返して、「なんのこと？」

すっかり忘れている。

「いえ、なんでも……」

石津はホッとしたりがっかりしたりであった。

病院の廊下に、石津は椅子を据えて見張りをしていた。

「どう、具合？」

「僕は元気です。食欲もありますし」

「良かったわね。——で、高田久志の具合は？」

「まだ意識不明で。食欲の方も、あんまりないようですね」

石津は平然と答えた。

「助かりそう？」

「さあ。——医者の話だと……。なんだっけな」

と、首をかしげ、「でも、たぶん生きてるんじゃないですか、まだ」

「良かったわね」

と、晴美は石津の肩を叩《たた》いた。「ともかく、朝までしっかり見張っててね」

「はい！」

この分なら、何日でも徹夜しそうな石津だった。

——晴美の姿が消えて、石津一人、再び椅子にかけて、大欠伸《あくび》などしている。

深夜、二時。パタパタと足音がして、看護婦がやって来た。

「検温です」

「ご苦労様」

と、石津は言った。

看護婦は病室の中へ入ると、薄暗い中、ベッドへと近付いて行った。

ピッピッと心拍のオシロスコープが単調な音をたてている。

看護婦は、そっと高田の上にかがみ込むと、しばらく様子をうかがった。汗が、顎《あご》から
ポタッと落ちる。

予備の枕を取り出すと、両手で持って高田の顔の上に静かに下ろしていく。そしてギュ

ッと押し付けると、覆いかぶさるようにして——。

「キャッ！」

足首に鋭い痛みが走って、看護婦は枕を取り落とし、後ずさった。

「ニャー」

ホームズが、ベッドの下から姿を現わした。看護婦は、逃げようとしてパッとドアを開けたが……。

「諦めることだ」

と、片山が言った。「ホームズの引っかいた傷は消えないよ」

看護婦はよろけて、ペタッと床に座り込んでしまった。

「——良かったのよ、これで」

と、晴美が言った。「もう一人殺すところだったんですもの」

看護婦が小さく肯いて、

「ええ……」

と言った。「良かったわ。——ホッとしたわ」

そして、静かにすすり泣いた。

「出谷君はどうした？」

と、高山は苛々《いらいら》した口調で言った。

「さあ……。何も聞いていません」

と、部下の女の子が肩をすくめる。

「そうか……。無断欠勤ってのは困ったもんだな、全く」

と、高山は首を振った。

電話が鳴って、高山は、取引先と雑談を始めた。

「――いや、この前のスコアはまぐれですよ。ハハハ。――そうですな。次の機会にはぜひ……」

「部長！」

「電話中だ。――いや、それで？――全くです！　ビギナーズラックって奴でしょうかね」

「部長――」

「うるさいな！」

「出谷さんが……」

高山は、ポカンとして、静まり返ったオフィスの中を眺めた。こっちへやって来るのは、出谷圭子で――しかし、いつもの事務服姿ではなかった。

「部長」

と、圭子は高山の前へ来て、言った。

「おい……。なんだ、その格好は？」

圭子は、自分の着ている真白なウェディングドレスを見下ろして、

「どう？　似合うかしら」

と言った。「いつか、私もこれを着て、あなたと並んで立ちたかった……」

「おい――」

「そんなこと、あるわけないのに。――でも、いつもホテルで抱かれると、つい信じてしまってた」

「おい、何を言い出すんだ！」

と、あわてて立ち上る。「向こうへ――。さ、来るんだ」

圭子は、高山の手を振り払って、

「あなたが、みゆきに惚《ほ》れるのも、許してあげた。またいつか戻って来てくれる、と思って。でも――みゆきを殺すなんて。そんなにみゆきに執着してたなんて！」

「やめろ！　どうかしちまったのか？」

「それでも、自分一人でかたをつけるのならともかく、その後始末まで、私に手伝わせて……。ひどい人！」

圭子は、大きく息をついて、「一度、これを着てみたかったの」

と言った。

「圭子……。出谷君。君はどうかしてる。病気なんだ。——おい、誰か救急車を呼んでやれ！」

と、高山は怒鳴った。

「一度、ウエディングドレス姿で、あなたと腕を組んで歩きたかった！」

圭子は、高山の腕にしっかりと自分の腕を絡めた。

「何をするんだ！」

「一緒に行きましょ、警察へ」

「馬鹿言うな！」

「刑務所へ入るときは、ウエディングドレスってわけにはいかないんだから」

「やめろ！　おい、離せ！　俺は何も知らんぞ」

高山は、力任せに圭子の腕を振りほどくと、「おい！　この女を連れ出せ！　こいつは狂ってるぞ！」

と、大声で喚《わめ》いた。

「狂ってるのはあなたでしょう」

と言ったのは——片山だった。

「刑事さん……」

「狂っていれば、まだいい。あんたは、みゆきさんを殺して、その罪を高田になすりつけようとした。高田を自殺に見せかけて殺そうとし、失敗すると、今度は恋人の出谷圭子を使って殺させようとする。——冷酷な殺人犯としか言えませんね」

「私は……私は何も知らん！」

と、高山は真赤になって、「この女の出まかせだ！　こいつはどうかしてるんだ！」

「あなた……」

と、圭子は絞り出すような声で言うと、「死んで！」

と叫んで、パッと机の上のペーパーナイフをつかんだ。

「やめろ！」

片山が飛び出す。

「助けてくれ！」

のけぞった高山の肩に、ペーパーナイフで切りつけた。高山が悲鳴を上げる。

圭子はドレスの裾《すそ》をつまむと、駆け出した。

「やめるんだ！」

と、片山が叫ぶ。

「キャーッ！」

女子社員たちの悲鳴が上った。

「どの窓が開くか、出谷圭子はよく知ってたんだ」

と、片山はため息をついた。「可哀そうなことをしたよ」

「即死？」

と、晴美が訊《き》く。

「うん。七階だからな」

「ウエディングドレスでね……。きっと、彼女自身は本望だったかも」

「罪を償いたかったんだろうな」

「ニャー」

ホームズが慰めるように鳴いた。

病院には、再び夜がやって来ていた。そんなに遅い時間ではないが、見舞客もそろそろ引き上げて行く。

医師が片山たちの方へやって来た。

「刑事さんですね」

「どうですか、高田は？」

「ええ、もう危いところは脱しました」

と、医師が肯《うなず》く。「明日には意識も戻るでしょう」

「良かった！」

と、晴美が胸に手を当てた。

「そうですか……。これで高山もおしまいだな」

と、片山は言った。「話が聞ける状態になったら、教えて下さい」

「分りました」

医師が肯いて立ち去ると、片山はすぐそばに山田が立っているのに気付いた。

「来てたのか」

「うん……。話は聞いた。良かったな、一人だけでも助かって」

「しかし……」

「うん。悔いは残るよ。みゆきさんを助けられたら……。彼女は、本当は高山から逃げたかったんだな」

「世話にもなっていたし、むげに突き放すわけにいかなくて、辛《つら》かったんだろう」

「僕にそこまで打ち明けてくれてたら……」

と、山田はため息をついて、「人徳のなさだな」

「おい……」

晴美が、兄と山田の話を聞いて、

「すぐ反省するのも、お兄さんたちの世代のくせね」

と言った。

石津がやって来て、

「今、高山が犯行を認めたそうです」

と言った。「——あれ？」

廊下をやって来たのは、久米である。

「久米じゃないか」

「片山。——晴美さん！　良かった、ここにいたんですね」

「久米さん。何かご用？」

と、晴美が訊くと、久米は咳払《せきばら》いして、

「改めて、デートを申し込もうと思って。いかがでしょう？」

と言った。

片山とホームズが、久米に殴りかかろうとする石津を抑えるのに苦労したのは、言うまでもない……。

三毛猫ホームズの衣裳戸棚《いしょうとだな》

1

「さあ、これで最後だ」

と、井田《いだ》が額の汗を拭《ぬぐ》いながら言った。

「やっとね！」

と、ため息と共に言ったのは、井田の妻、知子《ともこ》である。

「全く、やっと、って感じだな」

井田は大きく息をついて、「さ、ともかく頑張って運んじまおう」

「最後が大物ね」

「仕方ないさ。奥へしまい込んじまったからな。——上に上るから、台車、下へつけといてくれ」

「気を付けて、あなた」

と、知子は言った。「でも——一人や二人、手伝いましょうか、ぐらい言ってくれたっていいのにね」

「しっ。聞こえてるかもしれないぞ」

「いいわよ。聞こえたって」

知子は少々ふてくされている。

まあ、ふてくされるのも無理はないというものだ。何しろ、引越しのトラックをこの団地の中へ乗り入れたのが午前十時。ところが今——もう辺りはすっかり暗くなって、どの窓にも明りが灯《とも》り、方々から今夜のおかずの匂いが流れてくるという時間になっているのだから。

もちろん、井田も知子も、こんなに時間がかかるとは思ってもいなかった。

元はといえば、引越しの手伝いに来てくれるはずの井田の友人たち三人が、三人とも仕事で来られず、夫婦二人で何もかもやらなくてはならなかったせいである。

とはいえ、井田と同じく友人たちも三十二、三歳の忙しい盛り。同じサラリーマン仲間としては、文句も言えなかった。

小型トラックは井田自身が運転して、何とかこの団地へ辿《たど》り着くと、二人は自分たちの新居（といっても、もちろん新築ではなく、賃貸の空家である）へと荷物を運び入れた。

それが容易なことではない。——前の小さなアパートでは、部屋は一階だったし、目の前にトラックをつけられたので、荷物をトラックへ積むのはそう苦労せずやれた。

しかし、ここは……。中の間取りは、以前の１ＤＫから一気に３ＬＤＫと広がったのだが、三階で、エレベーターがない。

たとえ1DKの部屋でも、三年間の結婚生活の間には物もふえ、段ボールは二十個にもなった。そしてテーブル、椅子、タンス……。

全部を二人で三階まで運び上げるのは、重労働だった。途中、休み休みでなくては、とても続かない。

「ご近所」の手を少しはあてにしていたのだが、誰も、

「お手伝いしましょう」

と申し出てくれる人がなく、結構通りすがりにチラチラと見ては行くのに、さっぱり声もかけない。

結局、こんな時間までかかってしまったというわけである。

「——よし。もうちょっとだ」

洋服ダンス。これは二人の持っている「家具」の中で、一番大きい。

知子は今、二十八歳だが、三年前に結婚するまで——いや、本当は今でも役者なのだ。さっぱり商売にはならないが、一応何度か舞台も踏んでいるし、たまにはTVドラマに端役で出たりもする。

その関係で、どうしても衣裳《いしょう》がふえてしまうのである。

「重いな、おい!」

と、井田が汗を拭う。「こんなに重かったか、こいつ?」

「だって、これ一つしかないから、何でもここへ詰め込んでるんだもの」

と、知子がトラックの下で言った。「私の服もあなたの服も、それにステージの衣裳とか」

「今度は、あと二つ三つ買おう」

と、井田は言った。「さ、下ろすぞ」

「気を付けて！」

「うん……。しかし、重いな」

ジリジリと洋服ダンスを荷台の端からせり出させる。落ちないぎりぎりの辺りまで動かしておいて、井田はトラックから下りた。

「さて――。うまく下ろせるかな」

と、息をついて見上げる。「いっそ、中身を出しちまってからにするか？」

「ニャー」

二人は顔を見合せた。

「何だ、今の？」

「猫ですよ」

と、声がした。

振り向くと、三毛猫が一匹。しかし、「猫ですよ」と言ったのは、もちろん猫当人ではなく、飼主らしい若い女性で、その後ろに男が二人立っていた。

一人はヒョロリとノッポで、いかにもやさしそうな感じ。もう一人はがっしりとした体つきで、やはり人は良さそうだった。

「お引越し？　大変ですね、こんな時間まで」

と、その女性が言った。

「いや、手伝いに来てくれるはずの友だち連中が、みんな都合悪くなって。これが最後の一つなんです」

と、井田は言った。

「重そう。石津さん、手伝ってあげなさいよ」

「あ、いえ、そんな――」

と、井田が言いかけたときには、がっしりした体格の方が上着を脱いで、

「片山さん、持ってて下さい」

「すみません、どうも」

と、知子は言った。

「一人でやった方がいいんですよ、こういうのは。バランスが崩れると、かえって危い」

石津と呼ばれた男は、荷台の下に立ち、

「あなた、上に上って、僕の背中へこいつをもたせかけて下さい」

「大丈夫ですか？」

井田は目を丸くした。

「それが一番早い。さ、上って」

「はあ……」

「台車をすぐ下へ。——そこでいいです」

石津は洋服ダンスに背中をくっつける格好で立った。「さ、押して」

井田がゆっくりと石津の背中へ洋服ダンスをもたせかける。石津は洋服ダンスをおんぶした格好で、顔を真赤にしてトラックから下ろすと、台車の方へ体の向きを変え、そろそろと腰を落とした。

「——凄《すご》い！」

と、知子は思わず声を上げていた。

みごとに洋服ダンスは台車の上に下ろされていたのである。

「やあ、うまくいった」

と、石津が息をつく。

「ありがとうございました」

と、知子は頭を下げた。

「いいえ、お役に立てて良かったわ」

と、若い女性が言った。

「こちらにお住まいですの？」

「そうじゃないんです。知り合いがいて、訪ねての帰りなんですよ」

「そうですか。――あら」

あの三毛猫が、洋服ダンスの前に座って、じっと見上げている。

「どうかしたのかな」

「お兄さん……。何かホームズ、様子がおかしい」

「うん」

と肯《うなず》いて、「中は洋服だけですか」

「え？――もちろんですわ」

洋服ダンスは、扉が開いて来ないように紐《ひも》をかけてある。

「石津。紐をといて、開けてみろ」

「いいんですか？」

井田と知子は顔を見合せ、

「あの、何を――」

「警察の者です」

と、そのノッポの「お兄さん」は手帳を覗《のぞ》かせた。「中を調べます。石津」

「はい」

紐がとかれ、扉を開けようと——するより先に扉がカチッと音をたてて開いて来た。そして……。

女が一人——華やかなドレス姿の若い女が、身を縮めた格好で転り出て来た。

誰もが、しばらく口も開かなかった。——女の胸の辺りは赤黒く血で染って、どう見ても女は死んでいたのだ……。

「ゆかりさん……」

と、井田知子が言った。

「——何です?」

片山は、手帳を閉じかけた手を止め、「今、何て言いました?」

「ゆかりさんです。——永江《ながえ》ゆかり。あの、洋服ダンスに押し込められていた人です」

片山と晴美は顔を見合せた。

「知ってる人だったんですか」

「ええ……。でも、言いたくなかったんです。もし言えば……」

知子はためらった。

——井田夫婦の「新居」である。

もちろん、まだ到底住めるような状況にはなっていないが、差し当り、捜査のために中を借りているのである。

今、井田哲《てつ》（夫の方はこういう名前だった）は石津に付き添われて、トラックが走って来たルートを辿《たど》っている。

「ざっと見たところ、被害者は胸を鋭い刃物で刺され、ほぼ即死。死後十数時間だろうということです」

と、片山は言った。

「じゃあ……トラックが向こうを出る前、ということね」

と、晴美が言った。「どの時点で死体が洋服ダンスの中へ入れられたか」

「そりゃトラックへ積む前だろう。一旦《いったん》積んじまったら、その手前に沢山荷物があったんだ。あの扉を開けるだけでも一苦労だし、一旦開けたら、中の服が外へ落ちてくるだろうし」

「そうね。紐をかけたのは、どなた？」

「さあ……」

と、知子は考えて、「私か主人か……。よく憶《おぼ》えていません。ともかく戦争みたいな騒ぎだったんです」

片山は肯いた。そして、少し間を置いてから言った。

「永江ゆかりという人のことを話して下さい」

話す気になっている人間を追い詰めるような訊《き》き方をしてはいけない。むしろ少し待つくらいの方がいいのである。

知子はため息をついて、

「あの人は、私と同じ劇団にいる子です。——といっても、一つしか年齢は違いません。どっちも売れないことじゃいい勝負ですけど、ゆかりの方が私よりは可愛いし、広告のモデルとかやっています」

「劇団……。あなた、役者さんなの」

と、晴美が言った。

「はい。もちろんお金のためじゃありませんわ。むしろ持ち出しになっちゃうくらいですもの。でも、何もしてないよりは、生活に張りも出るし、と主人も言ってくれて——」

と、言葉を切る。

片山は晴美とチラッと目を見交わした。

「あなたは、すぐに分ったんでしょう、あの死体が……永江ゆかりだと。でも言いたくなかった」

「はい……」

と、知子が目を伏せる。

「それはつまり――」

「主人も、あの人を知っていたからです」

と、知子は目を伏せたまま、言った。「主人にも、すぐに分ったはずです」

「ご主人と、永江ゆかりの関係は？」

知子はしばらくたってから、

「――よく分りません」

「しかし――」

「噂は……。劇団の子から聞いています。主人とゆかりさんが夜、肩を抱き合って歩いてるのを見たとか、車で郊外へドライブに行くと、ゆかりさんが話してたとか。でも、私、この目で見たわけじゃありませんから」

知子は固い表情を崩さない。

「なるほど。――しかし、なぜご主人は黙ってたんでしょうね」

と、片山が言うと、知子は小さく肩をすくめて、考えるのも疲れたとでも言いたげに、

「主人に訊いて下さい」

と言った。

そこへ、石津と井田が戻って来た。

「やあ、片山さん。――ずっと車で走ってみましたよ」

「どうだった？」

「とても、途中であのタンスを下ろしてまた乗っけるなんて真似できませんよ。そんな人《ひと》気《け》のない場所は全く通らないんですから」

「そうか。すると、やはり死体は初めっからあの中に入ってたということだな」

「わけが分りませんよ」

と、井田が首を振って、「どうして、見も知らない女の死体が？　悪い夢でも見てるみたいだ」

井田はそう言って——何となくこの場の妙な空気を感じ取ったようだ。知子もそっぽを向いてしまっている。

「どうかしたのか、知子？」

「自分で分ってるでしょ」

「何が？」

「井田さん」

と、片山が言った。「奥さんの話では、あの死体は、永江ゆかりという人らしいんですが」

「ゆかり？——まさか」

と、井田はちょっと笑ったが、「もしかして……。そうか！　あれは……」

と、今度は青くなる。

「気付かなかった、とでも言うの?」

と、知子は夫をにらんで、「自分の恋人の顔を忘れた?」

「おい……。確かに、ゆかりのことは知ってる。しかし、恋人なんかじゃないぞ。それに──気が付かなかった。本当だ! あんな格好してるんじゃ、別人のようだ」

「いくらドレス姿だからって──」

「じゃ、知子、お前は俺が彼女を殺したとでもいうのか?」

井田は半ばふざけて言ったらしかった。しかし、知子の方は、

「分らない……。分らないわ」

と言いつつ、顔を伏せ、泣き出してしまった。

井田も呆然《ぼうぜん》としてそれを眺める。

一人、事情の分らない石津が、

「どうしたんです?──ね、片山さん。晴美さん。──ホームズさん」

と、次々に訊いて、しっかり無視されているのだった……。

2

「おい！　そこ、何やってるんだ！　ボーッと突っ立ってるんじゃない！」

馬鹿でかい声が、二百人ほど入るかという小さなホールの中に響き渡った。

「固まり過ぎだ！　もっと散って！」

怒鳴っているのは、今はほとんど空っぽの客席のど真ん中に陣取っている太った男。

「――失礼」

と、片山は声をかけた。

「おい、テーブルが見えんぞ！　客席から見えなきゃ仕方ないんだ！」

と、太った男は怒鳴っておいてから、片山をジロッとにらんで、「稽古《けいこ》中だ。見りゃ分るだろう」

「分りますが、こちらも急ぐので」

片山は警察手帳を見せた。

「ゆかりのことか。――仕方ない」

と、演出家は立ち上ると、「三十分、休憩！」

舞台の上の面々がホッと息をついた。片山は何となくいいことをしたような気がしたものだ。

「――久保悟《くぼさとる》さんですね」

「久保です」

と肯《うなず》く。「――ま、どうぞ。ゆかりは可哀そうなことをした」

お座なりというか、あんまり気のない言い方である。

「永江ゆかりさんのことはよくご存知でしたか」

と、片山は訊いた。

「そんなには。――ま、役者としちゃ見込みがなかったからね」

と、あっさり言った。

「ゆかりさんの私生活については?」

「その辺は、劇団の仲間に訊いた方が良かろう」

と、舞台の方を顎《あご》でしゃくって、「一人一人の団員の私生活まで知らんよ」

「そうでしょうね。井田知子さんは?」

「ああ、知子はゆかりよりはましだ。才能がある。しかし、大役をやるにはもう一つ、光るもんがないとね」

と、久保は言って、「ゆかりの死体が見付かったってのは、知子の所なんだろ?」

「そうです。井田哲さんとゆかりさんのことは耳にしてましたか」

「後で聞いたよ。こっちは忙しい。団員のゴシップにまで注意は払っておれんよ」

と、久保は苦笑した。

本音とも取れるが、同時にあまりにまとも過ぎる、とも聞こえた。

「分りました。――お邪魔してどうも」

と、片山が立ち上りかけると、

「いやいや。しかし……洋服ダンスから死体が転がり出る、か。正《まさ》しくドラマみたいだな」

と、久保は首を振って言った。

面白がっている様子で片山は、あまりいい気持はしなかった。

「誰か、永江ゆかりさんと親しかった役者さんはいますか」

「さて……。知子以外じゃ、たぶん、紀子《のりこ》だろう」

「紀子?」

「浜田《はまだ》紀子。――ほら、舞台の隅の方に立ってる、背の高いのだ」

と、久保は指さした。


「ゆかりちゃんが死んだなんてね」

と、そのヒョロリとやせて長身の女性は言った。「まだ信じられない」

「仲良くしてたんですか」

と、片山は訊《き》いた。

「ええ。そりゃもう……。あんまり親しいって間の子はいないから、劇団の中じゃ」

と、浜田紀子はタバコに火を点《つ》けながら言った。

劇場のロビーである。休憩時間、みんな思い思いに寛《くつろ》いでいる。

「ゆかりさんが井田さんと付き合ってたことは知ってましたか」

「ええ。ときどき聞かされたわ。グチとかね。――何ていっても奥さんいるわけだし、深入りしちゃだめよ、って注意してたんだけど」

「最近、特にうまくいってなかったとか、そんなことはありませんでした？」

「さあ……。ともかくこのところ、年中喧嘩《けんか》はしてたみたい。ねえ、女としちゃ、はっきりさせてもらわないとたまんないわよね、白か黒か」

「なるほど」

と、片山は肯いて、「そのタバコ……」

「え？　一本やる？」

「いや、僕はやりません。ただ、ゆかりさんもそれを喫《す》ってたと聞いたもんで」

「ああ……。仲いいと、お互いあげたりもらったりするでしょ。その内、面倒で同じもんになっちゃうのね」

「そんなもんですか。――いや、どうも」

「早く犯人、見付けてね」

少しくたびれたように楽屋の方へ戻って行く浜田紀子の後ろ姿を見送って、片山は軽く息をついた。

タバコか。——出まかせを言ったら、すぐにのって来た。

永江ゆかりと親しかったというのは、たぶんでたらめだろう。——浜田紀子の名を挙げたのは久保である。

浜田紀子が久保から言い含められていたとしたら……。ゆかりと井田が本当に親しい仲だったという証言をするように、と。

つまり、それは久保に隠したいことがあるからだろう。——久保には目をつけておく必要がありそうだ、と片山は思った……。


「井田さん。——知子さん」

そう呼ばれて、知子はやっと自分のことだと気付いた。

「あら」

——団地の中のスーパーで買物をして帰るところである。明るい日射しの下、小さな子供たちが駆け回っていた。

「この間の……。片山晴美さん、でしたよね」

「ええ。それとホームズ」

晴美の足下に、きれいな三色の毛を光らせて、あの猫が座っている。

「まあ、いつも一緒なのね」

と、知子は微笑んだ。「今日は――何かご用で?」

「いいえ。どうしてらっしゃるかな、と思って。少しは落ちつきまして?」

晴美の問いに、知子はちょっと苦笑した。

「大変なにぎわいですわ。毎日見物人が一杯やって来ますの」

「見物人?」

「ええ。――『ここが人殺しの住んでる棟だよ』って。平気で子供なんかにそう説明していますわ」

「まあ、ひどい」

「でも……。追い出されないだけでも、まだましです。管理事務所の方じゃ、手続をちゃんとしてあれば文句は言いませんから。でも――同じ棟の人でも、顔を合せても挨拶《あいさつ》一つしてくれない人がほとんどですわ」

晴美は肯いた。――何しろ、あれだけショッキングな話題になったのだから、そういうことも起っているだろうと気にしていたのである。

「買物も、専らスーパーです」

と、知子は自宅の方へ歩き出しながら言った。「スーパーなら、『何円です』って言われるだけ。余計な口をきかずにすむでしょ?」

「普通のお店だと――」

「だめ。あからさまに目をそむけられちゃうんですもの。やりきれないわ」

と、知子はため息をついた。

「ご主人は？」

「ええ……。一応、何とか会社へは行ってます。色々言われてるようですけど、私には言いません」

「辛抱して。犯人さえ捕まれば」

「ええ。――お上りになります？　初めてのお客様だわ」

部屋の中は、晴美がびっくりするほど、よく片付いていた。

「凄《すご》くきれいになって」

「お賞《ほ》めにあずかって」

と、知子は微笑んだ。「でも、あんまり喜べないんですよ。ともかく外へ出られないんですもの。みんなにジロジロ見られて。だから中の片付けぐらいしか、することがないんです」

晴美は、あの洋服ダンスが奥の部屋の隅に置かれているのを見た。

「戻って来ても――使う気にもなれませんし」

と、知子は言った。「といって、捨てるのも容易じゃないでしょ。困ってるんです」

晴美は、黙って肯いた。

「でも……それがあると、つい目がそっちへいってしまって。主人とも、何も話せなくなっちゃうんです」

知子はちょっと涙を拭《ぬぐ》った。「すみません。でも――こんなこと言うの、お恥ずかしいんですけど、ゆうべ、あの人が私の布団に……。でも、どうしても、そんな気になれないんです。もしかしたら、この人がゆかりさんを殺したのかもしれない、って……」

「で、ご主人は？」

「夜中でしたけど、外へ散歩に出て、しばらくして戻りましたわ。あの人も苦しんでるんです」

ホームズが、

「ニャー」

と鳴くと、トコトコと洋服ダンスの前に行った。

「何？」

と、晴美がついて行く。「――開けろっていうの？」

「ニャン」

「知子さん、中は何か……」

「あのときのままです。もちろん、死体はありませんけど」

晴美は扉を開けた。中には、くしゃくしゃに押し込まれた服が山になっている。

すると——ホームズがパッと中へ飛び込んだと思うと、中の服をくわえて外へ引きずり出して来た。

「ホームズ……。何してるの？」

晴美が呆《あき》れて見ていると、更にもう一枚、そしてもう一枚。

「ホームズったら——」

「ニャーオ」

と、ホームズが「まだ分んないの？」とでも言いたげな様子で鳴く。

「何よ。中のものを出しちゃう気？」

と、晴美は言って……。

中のものを出しちゃう。——同じセリフをどこかで聞いたような気がする。

どこだったろう？

中のもの……。中身を出して。

中身を出しちゃってから……。そう、この言葉は……。

「そうだわ」

晴美が、ホームズを抱え上げて、「そうなんだ。忘れてたわ、すっかり！」

知子は、わけが分らず、目をパチクリさせている。

「晴美さん……」

「聞いて下さい」

と、晴美は言った。「あのときのこと、思い出して。私たちが声をかける前、ご主人はこれをトラックから下ろそうとしてました」

「ええ、そうでしたわ」

「で、何と言ったか。——憶《おぼ》えてます?」

知子は考え込んで、

「さあ……」

「こう言ったんです。『いっそ、中身を出しちゃってからにしようか』って」

知子は、ゆっくりと肯いて、

「ええ……。そうでした。思い出しましたわ」

「ね。お分り? もし、ご主人が犯人で、永江ゆかりの死体をこの中へ隠したのなら、自分から『中身を出そう』なんて言うわけがありませんわ」

「まあ。——本当だわ」

知子はポカンとして、「それじゃ——」

「ね? つまりご主人は犯人じゃないってことです」

「ニャー」

ホームズが「そうそう」と言っている。

「そうだわ！　どうしてこんな簡単なことに気付かなかったのかしら？」

知子の頰が紅潮する。

「つい、あのときのことを忘れようとしてしまうからですよ。もちろん、真犯人が捕まらないと、周囲の人の目は変らないでしょうけど」

「そんなこと、いいんです！」

と、知子の目から涙が落ちる。「私が主人を信じられただけで……。ああ、良かったわ！」

知子は、晴美の腕からホームズを抱き取ると、

「ありがとう、猫ちゃん！」

と、キスした。

ホームズは目を白黒させていたが、たぶん内心では、

「片山でなくて良かったね。貧血起すとこだった」

と呟《つぶや》いていたに違いない。

3

「井田」

と、課長の内山《うちやま》が声をかけた。

「はい」

井田はすぐに席を立って、課長の席へと急いだ。

「いや……。実はお前のことは保留扱いになってるんだ。すまんな」

と、内山は小声で言った。

しかし、小さな課内である。小声で言っても充分に聞こえる。特に、みんなが耳を澄ましているときには。

「そうですか」

井田は失望が声に出ないように苦労した。「分りました」

「もう少し待ってくれ。な」

内山は決して悪い男ではない。小心だが、井田には好意を持ってくれていた。

「ええ、分ってます」

内山とて一介の課長だ。トップに言われたことをそのまま井田へ伝えるしか、できることはない。

――井田はお茶をいれに席を立って、廊下の奥の給湯室に行った。

「あ、井田さん」

来客用の茶碗《ちゃわん》を洗っていた女性が振り向く。

「君か」

本間加代子《ほんまかよこ》は、微笑んで、

「お茶？　私、いれるわ」

「悪いね」

「待ってね、すぐ洗っちゃう」

と、手早く洗剤を落とす。「──何かあったの？」

「いや……」

と言いかけて、「まだ保留だとさ。その内、どこもポストなんかなくなっちまう」

と、井田は肩をすくめた。

「大変ね」

と、本間加代子は言った。

「ま、仕方ない。会社としちゃ、いつ殺人容疑で捕まるかもしれん奴に、係長のポストなんてやれないのさ」

と、井田は腕組みして傍《かたわら》の壁にもたれた。「君も、あんまり僕と親しくしてると、巻添えを食うぜ」

「やめて」

と、加代子はきつい目で井田をにらんだ。「そんなグチばっかり言っててどうなるの？

しっかりしなきゃ。やけになっても、いいことなんか一つもないわ」

井田はちょっと目を伏せて、

「すまん……」

と言った。「分っちゃいるんだが」

井田の会社は、ちょうど異動の時期だった。井田は係長になることが決っていて、課長の内山もそう約束してくれていた。

そこへあの事件である。

井田が犯人と決ったわけではないが、ともかく知っている女の死体が、井田の家の洋服ダンスから出て来たのだから、井田が疑われても仕方のないところだ。

従って、会社の方でも井田の「係長」のポストは宙に浮いたまま。いつまでも空けておくわけにいかないから、遠からずポストは埋って、結局井田は平《ひら》のまま、ということになるだろう。

井田とて、別に肩書にこだわっているわけではない。しかし、こんな理由で係長のポストを逃すのが腹立たしいのである。

「奥さん、大丈夫?」

と、加代子はお茶をいれてくれながら言った。

「うん。——いや、本当はちっとも大丈夫じゃない」

井田が団地の中の様子を話してやると、加代子は眉《まゆ》をくもらせた。

「可哀そうに……。気を付けてあげないと、参っちゃうわよ」

「うん。しかし――」

「あなたのこと、信じてる？」

井田は加代子のいれてくれたお茶を少しずつ飲みながら、

「どうかな……。心底からは信じてくれていないよ」

加代子はため息をついた。

「責任は私にもあるわ」

「君がそう考える必要はないよ。――悪いのは僕だ」

二人は少しの間、黙った。

井田と本間加代子は、この半年ほど付き合っている。そう何度も、というわけではないが、ホテルへも行った。

知子が夫に「何かある」と感じていたのは、見当外れではなかったのである。しかし、井田の相手は永江ゆかりではなく、本間加代子だった。

ゆかりは、一度井田と知子のアパートへ遊びに来たことがあるから、知ってはいた。しかし、井田としては、ゆかりとの間に何もないのに、その殺人の疑いをかけられ、といって「全く潔白」とも言い切れないのは、加代子とのことがあったから。――複雑な思いだった。

加代子は二十六歳で独身。井田との間では、むしろ加代子が積極的だった。

「もし……どうしても、あなたが身のあかしを立てるのに必要だと思ったら、私のこと、話していいわよ」

と、加代子は言った。

「それはしないよ」

「でも――」

「君がここにいられなくなる」

「何とかなるわよ」

と、加代子は肩をすくめた。「事務の仕事なら、いくらもあるし。そのときには、ちゃんと奥さんに謝るわ」

「そこまではしないつもりだけど……」

と、井田は少し曖昧《あいまい》に言った。「まあ……どうなるか、見当もつかないな」

「でも、ちゃんと帰るのよ、お宅に」

加代子の言葉に、井田はギクリとした。

「ほら。帰らないつもりだったんでしょ」

「いや……。少し遅く帰った方が、と思ってた」

「だめよ」

「今夜──会わないか」

「何言ってるの！　こんなときに」

「こんなときだからさ。疲れ切って、しかも眠れない。──何もかも忘れたいんだ」

「気持は分るけど……。だめよ」

と、加代子は首を振った。

「そうか」

「だめ」

加代子はくり返すと、にぎやかな話し声が近付いてくるのを耳にして、パッと歩き出して行ってしまった。

井田は少し苦いお茶をゆっくりと飲みながら、自分の席へと戻って行った……。


トン、と一つだけノックの音。

「──誰だ？」

台本から顔も上げずに、久保悟は言った。楽屋のドアの開く音に顔を上げ、

「お前か」

「──忙しいですか」

と、浜田紀子は、少し間のびしたような口調で言った。

いつも演出家に注意されるが、直らないのである。

「見りゃ分るだろ」

と、久保は不機嫌に、「急に入院と来た！　全く、今の役者は」

「代役は決ったんですか」

と、紀子が後ろ手にドアを閉める。

「いや。何しろセリフの多い役だ。よそから客演で呼ぶしかない」

久保は台本に書き込みをしていた手を休めて、「──何か用か？」

「私、ちゃんとやったでしょ」

紀子が何を言っているか、久保にも分っていた。──あの刑事に、ゆかりが井田という男と「親しかった」と言わせたことである。

「ああ、分ってる」

と、久保は息をついて、「ちゃんとこづかいをやったろう」

「ギャラにしちゃ安いわ」

と、紀子は笑った。

「大して難しい役じゃないぞ」

「まあね。でも──」

と、紀子は楽屋のゴタゴタした中で、空いた椅子に腰をおろした。「もっとやさしいわ。刑事さんに本当のことを話すのは」

「何だと?」

「あれは全部でたらめでした。久保さんからああ言えって言われてたんです。——セリフはこれだけ。でも、あなたにとっては大問題でしょ」

久保の顔がこわばった。

「俺を脅すつもりか?」

「まさか」

と、紀子は小さく笑って、「私、演出家の先生を尊敬してるの。本当よ。脅すなんてこと、できるわけないでしょ」

「金がほしいのか」

「違うわ。大して持ってないことぐらい分ってる。ゆかりさんも言ってた。『先生ってケチなのよね』って」

と、紀子が笑う。

「じゃ、何だ」

「その役」

「何だって?」

「その役、私にちょうだい」

久保は、台本へ目を落とした。

「——お前にゃ無理だ」

「やれるわよ、私。こう見えても、セリフの憶《おぼ》えはいいのよ。それに、その役、凄《すご》く気に入ってたから、大体セリフも頭に入ってる。二、三日あれば憶えられるわ」

紀子はタバコを取り出して、火をつけた。

「——どう？　一銭もかからないで、私は口をつぐんでる」

久保は、じっと紀子を見ていた。

「本気か」

「どっちのこと？　刑事さんに話をすること？　それともその役をやること？」

「両方だ」

「両方、本気よ」

紀子のトロンとした目が、久保を見ていた。いつもの「ただ眠そうな」目と、同じようでいて、全く違う目だった。

「——そうか」

しばらくしてから、久保は言った。「止むを得ないな」

「分ってくれると思ってたわ」

紀子はニヤリと笑った。「じゃ、その役は私のものよ」

「待て。一応セリフが本当に入ってるかどうか、確かめたい。当然だろ。金をとって、客に見せるんだ。セリフも入ってない代役なんて話にならん」

「大丈夫よ」

「何日あれば入る?」

と、久保は訊《き》いた。「初日が近い。三日後には入っててほしいな」

「やれるわ」

「よし。——三日後に、ここの舞台でやって見せてくれ。それで本当にやれるようなら、発表する。それまでは秘密だ」

「分ったわ」

紀子はタバコをくゆらして、立ち上った。「乞《こ》うご期待」

と言って、小さく笑うと、楽屋を出て行く。

久保は、そっと汗を拭《ぬぐ》った。——太っているせいで、汗をかきやすいのである。


「そうか、それは忘れてた」

と、片山は言った。

「全く、もう! ちゃんと憶えててよ」

晴美だって一緒にいたわけなのだが、なぜか片山一人が文句を言われる立場なのである。

「僕も忘れてました」

と、石津が言われもしないのに申し出て、「でも、お代りしていいですか？」

「どうぞ」

——片山たちのアパート。

なぜか夕食の席になると、石津が一緒にいるというのも、見慣れた光景ながら、不思議である。

「——すると、やっぱり井田は犯人じゃないんだ」

と、片山は言った。「おい、俺もお代り」

「はいはい」

晴美は兄の茶碗《ちゃわん》を受け取りながら、「でも、誰か他の人間がやったとして、いつあの洋服ダンスの中に死体を入れられた？」

「井田夫婦の話じゃ、前の晩、洋服ダンスには紐《ひも》もかけて、アパートの中に置いてあった。そして二人は夕食抜きだったので、夜の十時ごろ、近くのレストランへ出かけているんだ」

「ええっ！」

と、石津が声を上げた。

「何だ、急にでかい声出して」

と、片山が目を丸くする。

「石津さん、何か思い当ることでもあったの？」

「いえ……。夜十時まで夕食を食べてなかったと聞いて、びっくりしたんです」

石津が素直な人間であることは、片山たちも認めざるを得なかったのである。

「で、そのとき、部屋に鍵《かぎ》をかけて行かなかった。というより、もう鍵をアパートの家主に返しちゃって、持ってなかったんだ」

「じゃ、その間、いつでも人が入れたわけね？」

「約一時間。アパートの一階だし、辺りは暗い。こっそり忍び込んで、洋服ダンスにかけた紐を一旦《いったん》ほどき、中へ死体を押し込んで、もう一度紐をかける。――不可能じゃないだろうな」

「でも、ずいぶんきわどい芸当よね」

と、晴美は首をかしげた。「どうしてそんなことする必要があったのかしら」

「ニャー」

ホームズは、早々に食事を終えていた。ダイエットでもしているのかもしれない。

「何か考えがあるの、ホームズ？」

と訊くと、ホームズはクルッと背中を向けて、せっせと前肢《まえあし》をなめては顔を洗い始めた。

「ちえっ、冷たい奴だ」

と、片山は口を尖《とが》らす。

「後は動機ね」

「井田と永江ゆかりが本当に恋人同士だったのかどうか。——演出家の久保は、ともかく何か隠している。そいつは確かだ」

「久保とゆかりさん。その可能性は大いにあるわね」

「浜田紀子ってのは、ちょっと突っつきゃ、すぐボロを出すよ」

「チリ紙交換にですか」

食べることに夢中の石津は、断片的にしか話が耳に入っていないのである。

「しかし、もし久保がゆかりとの間でこじれて殺したとしても、どうして井田の所へわざわざ死体を運んで行く？」

「うーん……。妙よね。井田さんに罪を着せるにしても」

「わざわざ洋服ダンスに隠すなんて、面倒すぎないか？」

「そうよね。しかも——そう。どうせその日の内に見付かるに決ってたわけでしょ」

「うん。隠した意味がどこにあるのか、だな」

と、片山は肯《うなず》くと、「ともかく、もう一度久保に当ってみる必要はありそうだ。しかし、正面から当ってもな……。何からまくショックを与えて、本当のことをしゃべらないわけにいかないようにしたいな」

「そううまくいく?」

と、晴美が言うと、ホームズが振り向いて、

「ニャー」

と鳴いたのだった……。

4

「——どう?」

と、浜田紀子は、舞台の上で軽く息をついた。

久保は、客席に一人で座って、じっと明るい舞台を見上げていた。

「ねえ、見ててくれたの? 居眠りしてた、なんて言ったら、ただじゃおかないわよ」

久保が手を叩《たた》いた。

「ブラヴォ。——よくやった」

紀子がフッと微笑む。

「本当?」

「正直に言おう。——とてもお前にゃできないだろうと思ってた。しかし、潔く認めるよ。

俺の負けだ」

——夜。もう、誰も劇場には残っていない。

久保と浜田紀子、二人が残って、急に入院してしまった団員の代りに、準主役級の役を、今やってみたところである。

「セリフ、入ってたでしょ？」

と、紀子が得意げに言った。

「うん。——ま、二つ三つ、細かいミスはあったが、ほとんど完璧《かんぺき》だ」

「あら、間違ってた？」

「大した所じゃない」

と、久保は立ち上って、「しかし——こうなると欲が出てくるね」

「何のこと？」

「セリフが入ってるだけじゃ、役作りまでできない。そこまでやれりゃ、代役としては立派なもんだ。しかし、それ以上をこなせば、ただの『代役』じゃない。立派なメインキャストになる」

「任せて」

紀子は頰を紅潮させていた。やはり芝居が好きなのだ。——役者にとっては何よりも「いい役」こそが一番の「栄養剤」である。

「よし。――そっちの方へ寄って。――うん、そのライトの真下へ立ってくれ」

と、舞台へ上ってくると、久保は紀子を舞台の奥へと動かした。

「こんな奥でやるの？」

「二幕の幕切れのセリフだ。この辺から始めて、少しずつ前へ出てくれ」

「しゃべりながら？」

「そう。感情が昂《たか》ぶるのと一緒に前へ前へと出るんだ。しかし、客席に落ちるなよ」

紀子は笑った。――甲高い声で。

「――よし、始めてくれ」

と、久保は言った。「ちょっと待った。ライトがずれてる」

久保は舞台の袖《そで》へと歩いて行って、

「じっとしててくれよ」

「はいはい」

紀子は腰に手を当てて肯く。――やっと、チャンスが巡って来たのだ！

これを逃してなるものか。紀子は決心していた。

久保なんか、演出家としても二流だ。あんな奴とは早いとこおさらばしてやる。――私はスターになる！　なってみせるわ。

「まだ？」

と、紀子は声をかけた。

すると——パラパラと埃《ほこり》が頭の上から落ちて来た。次の瞬間、何かが紀子の顔めがけて飛んで来た。

「キャッ！」

紀子は、それをよけようとして舞台の上に引っくり返った。そのとき——ズシン、と音がして、舞台が震動した。

紀子は体を起した。

顔へ飛びかかって来たのは、一匹の猫——三毛猫だった。そして……たった今まで自分が立っていた所に、重いライトが落ちて、ガラスが砕け、舞台の床にめり込んでいた……。

「けがは？」

と、誰かが舞台へ上って来た。

「あなたは……」

「片山ですよ」

と、男は手を差し出し、紀子を引張って起した。

「刑事さんね……。これ……どうしたの？」

紀子は呆然《ぼうぜん》としている。

「もう少しでこのライトを頭に食らって、死ぬところでしたよ」

「まあ……。じゃ、この猫ちゃんのおかげで助かったのね」

「そういうことです。――頭の上から、ライトを落とした人間がいる」

「落とした……。久保ね！」

やっと分った。――紀子は怒りで真赤になった。

「そう。あなたをライトの真下に立たせておいて、上に上り、ライトのネジを外したんです」

「どこにいるの！　殺してやる！」

「まあ、落ちついて」

と、片山はなだめた。「正直に話して下さい。ゆかりさんと親しかったという話はでたらめですね」

紀子はため息をついて、

「ええ……」

「久保にそう言えと言われた」

「そうです。――いやだったけど、仕方なかったんです。何しろ久保に逆らうと、役をもらえません」

「久保は何と言ったんです？」

「ゆかりと……井田さんって人とが恋人同士だったと言え、と……。本当に気が進まなかったんです」

「分ってますよ。実際には、ゆかりさんは久保と付き合ってた？」

「ええ……。でも、ゆかりさんは気がなかったんです。久保が追い回していて。このことはみんな知っています」

と、紀子は言って、「――これで、このお芝居も台なしね。ついてないわ。私って、いつもついてないの」

と、肩を落とした。

「でたらめだ！」

と、舞台へ転り出て、久保が言った。「この女！　俺を脅そうとしやがったんだ」

石津が、久保の肩をぐっとつかんで、

「裏口から逃げようとしてました」

と言った。「演出家にしちゃ、能のない逃げ方だ」

「久保さん。――ゆかりさんとはどういう仲だったんですか？」

と、片山が久保の前に立った。

「どうって……。そりゃ何回か寝たが……。しかし、向こうもそれでいい役がもらえる、ってんで、ちゃんと計算ずくなんだ。この女だってそうだ」

「とんでもない！」

と、紀子が久保をにらみつける。「この人、言う通りにしないと私を手ごめにするって……。私、仕方なく……」

紀子が泣き出した。

「――名演だ。どっちも」

と、片山はため息と共に言った。

「ニャー」

と、ホームズもため息をついたのかどうか……。


「井田君」

と、課長の内山が呼んだ。

「はあ」

井田は、もう何も期待しないで立って行った。

「おめでとう」

と、内山が一枚の紙を手渡す。「君は今日から係長だ」

井田の頰が紅潮した。

「ありがとうございます」

「警察の方から連絡があったんだ。君の疑いは晴れた、とね。真犯人の逮捕も近い、ということだった」

「そうですか……」

「良かった。僕も嬉《うれ》しい」

内山が、いつになくセンチメンタルな口調で、井田の肩を叩《たた》いた。「——奥さんへ知らせてあげたらどうだ？」

「はあ。——そうします」

井田は急いで席へ戻ると、一階の公衆電話へと駆け出して行った……。

「——うん、そうなんだ。もう大丈夫だよ」

「良かったわね」

と、向こうで知子も声を詰らせている。

「うん。——じゃ、今日は早く帰るよ」

「待ってるわ」

知子は、たぶん泣いているようだった。

電話を切って、井田は振り向いた。

「——やあ」

本間加代子が、少し離れて立っていた。

「良かったわね」

と、加代子は言った。

「ああ……。これで急に肩の荷が下りたというか……」

井田は、ちょっと目を伏せて、「本間君――」

「言わないで」

と、加代子は遮った。「せめて、私に言わせてよ」

「君――」

「もう、私たちの間はおしまいにしましょう」

「うん」

「そして、何もなかったことにして」

「うん」

加代子はちょっと笑って、

「あなたはそうして」

と言った。「私はね、忘れない。あなたとの思い出を」

「本間君……。すまなかった」

「いいのよ。どっちも大人ですもの」

と、加代子は首を振って、「さ、仕事が待ってますよ。〈係長〉」

井田が微笑んだ。――少し照れくさそうに。

知子は、買物の帰り道、足を速めた。

——何やかやで、買物に出るのが遅くなってしまったのである。

今夜は、井田の〈係長〉のお祝い——いや、そんなものはどうでもいいのだ。

本当に大切なのは夫婦の信頼が戻ったことである。そのためのお祝い。

うんとごちそうを用意して……。もう帰っているだろうか？

すっかり暗くなっていた。

もちろん団地の中だから、真暗というわけではないにしても、かえってどこからも死角になって見えない場所がある。

今、知子が通り抜けようとしている小さな公園もその一つである。昼間は親子連れでにぎやかだが、日が暮れると、人っ子一人いなくなる。

ここを抜ければ近道だということを、知子は気付いたばかりだった。

タッタッと歩いて行って——。

「キャッ！」

突然目の前に誰かが現われて、知子は飛び上りそうになった。

その人影は、黒いシルエットにしか見えなかった。

「どなた？」

と、知子は用心しながら訊《き》いた。「——誰なの？」

「奥さん……。どうも」

と、その男は言った。

「え？」

知子は、そっと暗がりの中をすかして見て、「あの……」

「私です」

男が少し明るい所まで出て来た。

「——まあ、課長さん」

「ごぶさたして」

と、内山が頭を下げる。

「いいえ。とんでもない、こちらこそ。あの——主人、今日はとても喜んでいました」

「いや、あれは当然の人事ですよ」

と、内山は言った。

「そうおっしゃっていただくと……。あの——うちへおいで下さい。もう主人も戻ってるころです」

そう言って、ふと、どうして課長さん、この団地をご存知なのかしら、と知子は思った。前のアパートへ一度みえたことはある。夕食をとって、楽しく話し込んだものだが……。

「いや、奥さん、ちょっとお話があるんですよ」

と、内山は言った。

「私に――ですか」

「ええ」

二人は、近くのベンチに腰をおろした。

「あの……課長さん」

「やめて下さい」

「は?」

「分ってるはずだ。私はね、奥さん、あなたを一目見てから、忘れられないんです」

知子は啞然《あぜん》とした。

「そんなこと……。一度お会いしたきりですわ」

「いや、そうじゃない。――私はあれから何度もあなたの姿を隠れて見ていました。一方、ご主人のことも、気を付けていましたよ」

「主人のこと?」

「ご主人は、会社の本間加代子君という子と親しいんです」

「主人が……ですか」

「ええ。――結局、彼はあなたを裏切っていたんですよ」

知子は、少し間を置いて、

「よく話し合ってみますわ」

と言った。「それを知らせて下さるために？」

「いや、それだけじゃありません。私はね、何とかあなたを救いたいと思った。あんな奴と暮して、あなたが幸福であるはずがない。あなたを救い出そうと決心したんです」

「課長さん――」

「前のアパートへ、私は出向いて行きました。あなたを助け出すのに、引越しのときというのはぴったりだと思ったんです。新しい生活を始めなきゃいけないのなら、どんな暮しでも同じだ」

内山は、じっと前方の闇を見つめていた。

「ところが、あなた方は留守だった。部屋へ入ると――鍵《かぎ》があいていて――もう荷造りもすんでいた。そこへあの女がやって来たんです」

「ゆかりさん？」

「そういう名前ですか。あなたを訪ねて来たらしい。ところが、中に私がいるのを見て、泥棒か何かだと思って騒ぎ出したんです」

内山は苦笑した。「とんでもない話だ！　泥棒なんて！――私はただ用意したナイフで、井田君を刺すつもりだった。それだけなんですよ」

それだけ？——知子はゾッとした。

「ところがあの女は騒ぎ出した。で、つい刺してしまった」

内山は、皿を割った、とでもいう口調で言った。「困りましたよ。放っとくと、たぶん警察が来て、厄介でしょう。ともかく今日は井田君を刺すのは無理だと思いました。でも、あのままじゃ、引越しもできなくなる」

引越し？　人を殺しておいて。——この人、まともじゃない！

「で、目についた洋服ダンスへ、あの女を押し込んだんです。これで引越しはともかくできるだろう。先へ着けば、後はねえ、何とでもなる」

内山はのんびりとしゃべっている。知子は背筋を汗が伝うのを感じた。

「たぶん、あの女を見付けても、井田君が何とか片付けるだろうと思ってたんです。ところが、井田君が殺したのかもしれない、という話になった。——意外な展開でしたよ」

と、内山は言った。「もしご主人が捕まれば、あなたは自由になる。私はね、ワクワクしてました。でも……残念ながらそううまくいかなかった」

内山は知子を見た。

「やはり、私がやるしかない、と思ったんです」

「課長さん……」

知子は目を見開いて、「まさか——あの人を——」

「今、刺して来たところです」

内山はナイフを取り出した。「もうあなたは自由ですよ」

「ああ！　何てこと！」

知子は駆け出した。

「奥さん！」

内山の呼ぶ声が、背後に遠ざかる。

知子は夢中で走った。――そして、

「知子！」

夫が、駆けてくる。

「あなた！」

知子は駆け寄った。「あなた！　けがを――」

「大丈夫だ、腕を切りつけられただけで」

と、井田は肯《うなず》いた。

「良かった！」

と、知子は夫を抱きしめた。

「片山さんたちがちょうどいらしたんだよ。それで助かった」

「まあ」

片山と石津が駆けて来た。

「——奥さん。今、内山が……」

「ええ。会いました。そこの公園で」

「公園？　石津、行くぞ」

片山たちが駆け出して行く。

「あなた……」

「怖いなあ。人間、どこに狂気が潜んでるか、分らない」

と、井田は首を振って言った。「課長、何か言ったか」

知子は、もちろん忘れていない。「本間加代子」という名を。しかし、今、それを言う気にはなれなかった。

「行ってみましょう」

と、夫を促す。

井田と知子が公園へ入って行くと、

「こっちです」

と、片山の声がした。

「どこです？」

「池ですよ」

小さな池がある。青白い照明の中に、池の水を血で赤く染めて、内山が浮かんでいるのが見えた。

石津がズボンをたくし上げて水の中へ入り、内山の手首を取ったが、片山の方を向いて首を振って見せた……。


「――ゆかりさんも可哀そうに」

と、知子は言った。「私を訪ねて来て、殺されちゃうなんて」

団地の昼下り。知子は買物に出て、晴美とホームズの二人にまた出会ったのだった。

「おとなしい人だけに、空想癖があったらしいですね。あなたと愛し合っていて、ご主人さえいなければ二人は結ばれるのに、と思い込んでいたらしいです」

「怖いわ。――人間って、外見だけじゃ分らないんですね」

晴美は、ふと目を先の方へ向けて、

「外見で分る人もいますわ」

と言った。

――片山と石津がやってくる。石津は大きなホットドッグを幸せそうに食べていた。

「本当ね」

と、知子が笑い出す。

ホームズが、

「ニャー」

と笑った。

「──やあ。何かおかしいことでも?」

と、片山が言った。

「別に」

と、晴美は首を振って、「人間、素直が一番よね」

「そうです」

と、石津が賛成した。「腹が減ったときは、素直に食べる！　これが一番です」

「じゃ、夕食はぜひうちで」

と、知子が招待して、もちろん石津がまず、

「喜んで」

と答えたのだった。

三毛猫ホームズの招待席

1

「やめて！　こんな所で何するのよ！」

どう考えても本気だった。

恋人同士がふざけてじゃれ合っているという感じではない。女の口調は、「本気」だった。

「人に見られたら……。どうなるか分ってるの？」

と、女は続けた。「ちょっと――。いい加減にして」

少し穏やかな口調にはなったが、きっぱりと拒んでいることに変りはない。

「もし、こんな所を見られたら……殺されるわよ」

女の言葉は真剣そのものだ。「あなたを死なせたくないの。分るでしょ？」

少し間があった。そして、

「――さ、もう行かないと。時間よ」

女が相手を促して、二人の足音がコッコッと響いた。コンクリートの空間に響くその音は、やがて厚いドアの向こう側で、ぐんと小さくなって、すぐに聞こえなくなった……。

フーッと片山晴美は息をついた。

「参った！」

と呟《つぶや》く。

別に息を止めていたというわけじゃないのだが、じっと身動きせずにいるというのは、結構辛《つら》いものである。

——アルコールで少々ほてっていた頰が、今は別の理由で熱くなっていた。

もう大丈夫かな。——晴美は立っていたオブジェのかげから姿を現わした。

ここは六本木《ろっぽんぎ》にあるクラブ。夜も十一時を回っている。

晴美は知人の紹介で、あるパーティに招《よ》ばれていたのだ。——いわゆる「業界人」が大勢いて、パーティは凄《すご》い混雑だった。

正直、初めは顔を知っている芸能人などを見てはミーハー気分で面白がっていた晴美も、一時間もするとくたびれて来た。

カクテルと人いきれで暑くなって、クラブの中庭へ出たのである。

中庭といっても、コンクリートに囲まれた空間で、ちょっと美術館風にいくつかのオブジェが置かれている。晴美がその一つにもたれて休んでいると、ドアが開いて、男と女が入って来た。

晴美の姿はちょうどオブジェのかげに隠れて見えなかったのだろう、その二人は自分たちだけと思ったようで……。

そして冒頭の言葉が晴美の耳へ飛び込んで来たのである。――あんなことを聞いては、今さらノコノコ出ても行けない。

幸い、その二人が全く気付いていないので、じっと晴美はその場で動かずにいたのである。

ところが二人の話に「殺される」という言葉まで飛び出して来て、晴美はドキッとした。

やっと、晴美は一人になったのだったが……。

今の二人、誰だったのだろう?

男の方は一言もしゃべらなかったので分りようもない。ただ、二人が入って来たとき、チラッと背広姿が晴美の視界に入ったので男と知れるだけだ。

そして女の方は……。晴美は首をかしげた。

「あの声……。どこかで聞いたことあるみたいだわ」

そう。――何となく聞き憶《おぼ》えのある声だったのである。しかし、どこで、いつ聞いたのか、全く思い出せない。

――パーティに戻って、晴美はサンドイッチを少し食べると、もう引き上げようと思った。

これ以上ここにいると、どうもろくなことにならないようだ。別に、話し相手がいるわけでもないし。

晴美が、出口の方へ歩き出そうとしたときだった。

「晴美！――晴美じゃない？」

ラッシュアワーの駅のホーム並みという人ごみの中で、その声ははっきりと聞き分けられた。晴美が面食らって、キョロキョロしていると、

「晴美でしょ！――やっぱり」

と、目の前に立ったのは、どう見ても普通のＯＬには見えないスタイルの若い女性で、

「私よ！　布子《きぬこ》。――神田《かんだ》布子。忘れちゃった？」

「ああ！」

晴美は、その華やかな顔立ちの中に、やっと中学時代のおとなしい、物思いに耽《ふけ》りがちだった少女の面影を見付けた。

「憶えててくれた？」

「もちろんよ！」

晴美は、改めて布子の全身を眺めて、「布子……。今、何してるの？」

「女優」

「女優？」

「うん。――今度ね、映画に主演したの。見てくれる？」

「もちろん、そりゃあ……。でも、布子が女優……。まあ、確かに想像力豊かな子だったものね」

「不思議な巡り合せなの」

と、布子は言った。「今度ゆっくり会えない？　色々話したいわ」

「いいわね」

「晴美、ちっとも変わんない」

「悪かったわね」

と笑って、「神田布子って名で出てるの？」

「ううん。佐野《さの》布子」

「佐野？　芸名？」

「そうじゃないの」

と、首を振って、「本当はもっ、、、と違うんだけどね」

「どういう意味？」

「ここじゃ騒がしくて……。ね、ゆっくり話す時間、作って」

ただ昔話をしたい、と言っているのではないような気がした。そこへ、

「布子ちゃん、もう出ないと」

と、背広姿のメガネをかけた男が人をかき分けてやって来た。

「はい。——晴美、マネージャーの倉林《くらばやし》さん。私の旧友、片山晴美」

「どうも」

と、そのマネージャーはパッと晴美へ頭を下げて、「ね、車、この時間は結構混んでるから」

「はいはい。——何も食べてない。後で何かお腹に入れさせてよ」

「分ってるよ」

倉林というマネージャーに腕を取られて、布子は行きかけたが、ふと足を止めると、振り返って、訊《き》いた。

「晴美、あなたのお兄さん、警視庁の刑事さんだったわよね」

「——〈プレミアご招待〉？」

片山義太郎は、晴美に渡された白い角封筒の中身を取り出し、眺めた。

「映画のね。布子の第一回主演作」

「神田布子か……。何となく憶えてるな」

と、片山はあぐらをかいて言った。「確か可愛い子だったよ」

「あら、気があったの？」

「よせよ」

と、片山は顔をしかめ、

「ニャー」

と、ホームズが面白がっているように鳴いた。

――ここはいつもの片山兄妹のアパートである。一匹の三毛猫と、図体《ずうたい》の大きな子供――石津刑事のことである――が、兄妹と一緒に夕食をとっている。

「今はね、佐野布子っていうの」

と、晴美が言った。「詳しい子に聞いたわ。あの子、お母さんと二人暮しだったのね。そのお母さんが再婚して、佐野って姓になったんだって」

「ふーん。しかし、映画の主演ってのは大したもんじゃないか」

「そう。本人も嬉《うれ》しいんでしょ。ぜひ、みんなで来て下さいって」

「みんな？」

「この四人」

「僕もですか。やあ、そりゃ嬉しいな」

と、石津は早くも浮き浮きしている。「誰かスターとか来ますかね」

「たぶんね。結構話題作らしいから」

「でも、晴美さんがいたら、誰だってかすんじゃいますよ」

と、石津はせっせと持ち上げる。

「それだけじゃないのよ。——話したでしょ、さっき。パーティのとき、中庭で聞いた会話のこと」

「ああ。しかし顔も見てなかったんだろ」

「でもね、女の方だけは分ったの」

片山は食事の手を止めて、

「おい、まさか……」

「そうなのよ」

と、晴美は肯《うなず》いた。「どこかで聞いたことのある声だって思ってた。——布子だったのよ、その女の方」

「男はそのマネージャーか？」

「分らないわ。何しろ一言もしゃべらなかったんだもの」

「しかし……。まさか本当に何か起ると思ってるんじゃないだろうな」

と、片山は少し情ない顔で言った。

「そんなこと分んないわよ。私は神様じゃないんだもの」

「へえ。神様かと思ってたぞ」

「ちょっと、お兄さん！　何よ、それ。どういう意味？」

晴美がかみつきそうな顔で言った。

「あの――晴美さん、おかわりしてもいいでしょうか？」

石津は、別に二人の喧嘩《けんか》をしずめようとしてそう言ったわけではないのである。

「で、何か裏に複雑な事情でも絡んでるのか？」

と、片山が言った。

「分らないの。会って話したい、とは言ってたんだけど、やっぱり忙しいんでしょ。そのプレミアの日まで会う機会はなさそうだし」

「ふーん。――〈愛と憎しみと〉か。まあよくありそうなタイトルだな」

「あらゆる映画の半分くらいにはこのタイトル、つけられそうよね」

と、晴美が言った。

ホームズは、早々と食事を終っていたのだが、ヒョイと顔を上げ、

「ニャー」

と鳴いた。

「誰か来た？」

晴美が振り向くと、玄関のドアを叩《たた》く音がして、

「今晩は。――佐野布子といいます」

と、声がしたのである。

「ちょ、ちょっと待って！」

晴美があわてて立ち上り、食卓を奥の部屋へ運んで大騒ぎ。――数分後、やっと女優は部屋へ上っていたのだった。

「やっと今日、時間ができて」

と、佐野布子は言った。「本当は映画のためのキャンペーンで、スケジュールびっしり詰ってたんだけどね」

「よく空けられたわね」

「演技、演技」

「演技?」

「役者だもん、これでも。インタビューの途中、突然倒れて見せたの、過労でね。マネージャーもさすがに心配して」

「じゃ、一日ぐらいは休めそうなの?」

「とんでもない! 今夜の仕事をキャンセルしただけ。明日は朝六時から仕事」

「へえ! 忙しいんだね」

「本当ね。――売れない人は何日も仕事一つなくてブラブラしてるし、売れ出すと寝る間もないし……。人生って、どっちかなのよね」

布子は、いやに感慨深げに言った。

「でも、やっぱり売れた方がいいんでしょ」

「そりゃあね。売れなきゃ、自分の力の出しようもないし」

と、布子は微笑んだ。

「その笑顔。——昔の布子だ」

晴美はちょっと嬉しくなった。「ね、何か話があったんでしょ、私と兄さんに。この石津さんって大きい人も刑事さん。心配なことがあったら……」

「うん……。ありがとう」

と、布子は肯いて、「実はね——。あ、来たのかしら」

「え？」

廊下に足音がした。チャイムが鳴って、晴美が出てみると、

「あの——丸山《まるやま》と申しますが」

どことといって特徴のない、パッとしないサラリーマンの典型みたいな男。何かのセールスかしら、と晴美は思った。

「佐野布子はおりますでしょうか」

「あ、あなた。上って」

と、布子が立って来て言った。

「布子。この方……」

「ご紹介するわね、丸山勇二《ゆうじ》。——私の夫なの」

晴美は目を丸くした。

「ご主人？——へえ！　あなた、結婚してたの」

「うん。でもね、このことはマネージャーも知らないの」

丸山勇二は、上り込むと、

「やあ」

と、妻に向かって言った。「久しぶりだね」

晴美と片山は顔を見合せた。

これは、思っていたよりややこしい話になるかもしれない、という気がしたのである……。

2

エレベーターを下りて、片山たちは思わず目をみはった。

「凄《すご》いな」

「大したもんね！」

と、晴美も最近の芸能事情にうとい自分を反省したのだった。

〈「愛と憎しみと」特別披露試写会〉という立て札が人の波の間に見え隠れしている。

試写会場になった映画館の前は、もう何百人という人で一杯になっていた。

「ハガキをお持ちの方は、こちらへ並んで下さい！　開場まであと十五分です！　もう少しお待ち下さい！」

声をからして叫んでいるのは映画会社の宣伝部員か何かなのだろう。人の波がゾロゾロと動いて、何とか列らしきものができる。

「俺たちも並ぶのか？」

と、片山は言った。

「招待者は別のはずよ。——あのテーブルで言えばいいんじゃないの？」

〈ご招待者受付〉という机が映画館前のロビーに出ている。

「少し早く着いたな」

「遅れるよりいいわ」

と、晴美は言った。「入れないかしら？　訊《き》いてみましょうよ」

「ニャー」

当然、ホームズもついて来ていたのである。

「時間があったら、何か食べてましょうか」

ついでながら、石津も一緒である。

「さっき食べたろ」

「あれは夕食でしょ。晩飯は別じゃないんですか」

どうやら石津は本気で心配している様子だった……。

「布子はもう中にいるはずよ。私たちが着いたって知らせてもらいましょ」

晴美が、〈ご招待受付〉のテーブルへと歩いて行って、

「あの――」

と、声をかけたところへ、

「おい」

と、晴美のことをまるきり無視するように男が一人、割って入った。

晴美はムッとしたが、その男はにらみつけられていることなどまるで気付かない様子で、
受付に座っていた女の子に、

「俺の席へ案内しろ」

と言ったのである。

「はあ?」

受付の女の子は、面食らって、「あの――失礼ですが――」

「俺と女房の席だ。誰か係がいるだろう」

五十代の半ばというところか、図体《ずうたい》も大きいが、態度もでかい。そして、えらく派手なスーツを着た女性が少し離れて立っているのに晴美は気付いた。

「失礼ですが、招待状をお持ちでしたら、いただけますでしょうか」

と、係の女の子は立ち上って言った。

「何だと？　おい！　俺を何だと思ってるんだ」

と、その男はムッとした様子で、「佐野布子の父親だぞ！　俺の顔ぐらい憶《おぼ》えとけ」

と怒鳴った。

晴美はびっくりして、連れの女性の方へ目をやった。——では、これが布子の母親？

晴美も、はっきりと思い出せるわけではないが、いかにも働いて娘を育てている、という感じの、地味だが堅実な印象を与える人だった気がする。

今は——濃い化粧と、派手な服装が却《かえ》って老《ふ》けて見せてしまっていた。

「あ、佐野さん、どうも」

と、怒鳴り声を耳にして飛んで来たのは、布子のマネージャー、倉林。

「おい、何だ、こんなわけの分らんのを受付に座らせとくな」

「はあ、申しわけありません！　どうぞお入り下さい。さ、奥様もこちらへ」

倉林が二人を中へ入れる。

佐野の方は、まだ受付の女の子へ、

「全く、今の若い女は生意気な奴ばっかりだ！　何もろくにできんくせに！」

と文句を言っている。

晴美は、呆《あき》れたり腹を立てたりするよりも、布子のことが可哀そうになった。

「あの――」

と、晴美は、しょげ返っている受付の女の子に、できるだけやさしく声をかけた。

「は、はい！　どちら様でいらっしゃいますか！」

と、飛び上りそうになっている。

「ご招待いただいたんです」

と、招待状を出して、「もう入ってもよろしいかしら？」

受付の子はホッとした笑顔を見せて、

「はい、どうぞ！」

と言ったのだった……。


まだ客を入れていないロビーでは、スタッフが忙《せわ》しく駆け回っている。

TVのカメラマン、それに週刊誌や新聞のスチールカメラマンがもう十人近くも集まってセットを終えていた。

「――お兄さん、席に座ってる？」

「いや、何かあるとまずいだろ。一応中を見て回っとくよ」

「でも、分んないでしょ、ステージの裏とか」

「まあな。しかし……」

「じゃ、ともかく一旦《いったん》布子に会いに行きましょう。どこにいるのかしら」

と、晴美は辺りを見回して、「あら、あの人、知ってるわ」

ヒョロリと足の長い青年がロビーをやって来る。

「誰だ？」

と、片山が言った。

「スターよ。何とかいう」

「〈何とか〉って名前なのか？」

「ちょっと」

と、兄をにらんでやると、後ろでクスクス笑う声がする。

「あら、あなた受付の——」

さっき布子の父親に怒鳴られていた女の子だ。

「——ええ、受付にいなくていい、って言われて」

「まあ、ひどいわね」

「でも、いいです。ああいう人、珍しくないですよ、この世界じゃ」

と言って、「片山さん——でしたよね。私、石毛《いしげ》啓子《けいこ》といいます」
二十二、三か。爽《さわ》やかな印象の娘である。

「猫をお連れって、珍しいですよね」

「こっちが猫の連れなの」

と、晴美は笑って言った。

「今のスター、西和彦《にしかずひこ》です」

「あ、そうだった！　モデル上りの——」

「そうです。スタイル、ルックス抜群、歌と演技は最低、って定評です」

ものごとをはっきり言うのが、石毛啓子の主義らしかった。

「さっきのご両親はどこ？」

「もう客席の方に。倉林さんがコーヒーを運んでましたわ。オフィスへご案内しましょうか？　そこに佐野布子もいますよ」

「ありがとう！　古い友だちなの」

「へえ！　すてきですね。あの人、とっても感じがいいの」

石毛啓子は先に立って歩き出した。

通路を歩いて行くと、ガラス扉越しに、行列を作っている客が見える。

「抽選で招待状を当てた人たちです。凄《すご》い倍率だったって」

「そうでしょうね」

「おい、晴美」

片山がつづく。晴美は兄の視線を追って、

「——あら」

行列の中に、相変らずパッとしない背広姿の丸山勇二がいたのである。

石毛啓子は、〈事務所〉とプレートの入ったドアをノックしてから開けた。

「何だい？」

と、倉林が出て来る。

「佐野布子さんにお客様です」

「晴美！　入って！」

倉林を押しのけるようにして、布子がやって来た。「片山さんたちも、よくいらして下さって」

「何しろタダですから」

と、石津が正直に言った。

「中、狭いから、お兄さんたちロビーにいて。私、ホームズと中にいる」

「分った。この子に案内してもらうよ」

と、片山は石毛啓子の方を見て言った。

「——かけて」

と、部屋の中へ入ると、布子は晴美に椅子をすすめた。

ほんの八畳間ほどの広さのオフィス。隅の小さなソファに、西和彦が長い足を持て余すように座っている。

「──この子、誰？」

と、晴美を眺めて、「どこかの新人？　それにしちゃとうが立ってるね」

晴美は、西和彦の足をギュッと踏みつけてやった。

「いた……いてて……」

と、アイドルスターが目を白黒させる。

「失礼なこと言うからよ」

と、布子が笑った。「私の学校時代の友だち。凄いのよ。お兄さんは警視庁捜査一課の〈敏腕刑事〉」

「敏腕〉ね。──ま、「仲人口」だと思っときゃいいか、と晴美は心の中で呟《つぶや》いた。

「それにこのホームズって猫はね、優秀な警察猫なのよ」

「そんなのあるのか？」

と、西が目をパチクリさせる。

「今はね、猫の手も借りたいくらい忙しいの」

と、晴美が言ってやると、

「ニャー」

と、ホームズが応じた。

「布子の友だちか。じゃ、ちょうどいいや」

と、西が言った。「ね、布子をさ、説得してくれよ」

「何の話？」

「この映画とってる間に、何度もプロポーズしたんだ。でも、布子、ノラリクラリと逃げててさ」

「プロポーズ？」

晴美は布子を見た。「布子……」

「お気持は嬉しいけど、他の人を当って、って返事したでしょ」

と、布子は言った。

「それじゃ納得できないよ。こんな奴、他にいないぜ。顔もスタイルも良くてさ、金もあって、人気もある。他に何がいるってんだ？」

西が自分のことを言っているのだとは分っていたが、晴美は唖然《あぜん》とせずにはいられなかった。

こりゃだめだ。――足りないのは脳ミソかね。

「――こちらからステージに上るんです」

と、石毛啓子が片山たちを案内して、言った。

「ずいぶん狭いんだね」

「ええ。映画館ですもの。ステージっていっても、幕が下りてると、せいぜい二メートルくらいの幅しかないし」

「それはそうだね」

「ステージを使うのは、今日みたいに、プレミアがあって、出演者の挨拶《あいさつ》があったりするときだけです」

片山はステージわきから、客席を覗《のぞ》いてみた。まだ普通の客を入れていないので、白いカバーのかかった中央の招待席にパラパラと人がいるだけ。

その一番前の列の中央に陣取っているのは、布子の両親——といっても、佐野健夫《たけお》は母親の再婚相手だが——である。

片山は、軽く息をついた。

「どこか、人の隠れられそうな所、あるかい？」

と、石毛啓子に訊《き》く。

「隠れる所？」

と、啓子はいぶかしげに、「何を考えてるんですか？」

「いや……。君には話してもいいだろう。僕とこの石津は刑事でね」

片山が警察手帳を見せると、石毛啓子はポカンとして、

「うそでしょ……」

と言った。

それから――目を輝かせて、片山の腕をつかんだのは、当然の成り行きであった。

3

「じゃ、ステージに出るのは、まず監督、それから布子ちゃん、その次に西君。――これでいいわね」

と、司会役の女性アナウンサーが言った。

「それぐらい分ってる」

と、ふてくされているのは、この映画の監督、多田《ただ》。

「でもね、ちゃんと念を押しとかないと。いざってときになると、あがって、間違えるもんなんですよ」

と、やたらやかましいその女性アナは言った。

「――当人があがってるのよね」

と、布子がそっと晴美に言った。

「みなさん、いいですか！　私が呼んだら、一人ずつステージに出て来て下さい。一人ずつですよ！」

と騒いでいる。

「一人ずつ以外、どんな出方《でかた》があるんだ？」

と、多田が皮肉ったが、女性アナの耳には全く入っていない。

多田は、いかにも芸術家風というか、ツイードのジャケットに丸えりのセーター。パイプなどくわえて、ステージ袖《そで》の壁にもたれている。

「——ね、僕の髪、ちゃんとなってる？」

と、西和彦が布子に訊いている。

「ええ。ちゃんとあるわよ」

「ひどいなあ。——鏡、持ってくりゃ良かった」

布子は、晴美をそっとわきへ連れて行って、

「さっきはびっくりしたでしょ」

と、小声で言った。

「西があなたにプロポーズしてること？　まあ、布子の結婚を内緒にしてるのなら、分らないじゃないけど」

「困ってるのよね。——もちろん、私は夫を愛してる。でも、ずっと離れて暮してるでし

ょ。もしかすると、私のことなんか忘れてるんじゃないかって……」

「大丈夫よ。今日も来てるじゃない」

晴美の言葉に、布子は目を丸くして、

「来てる？　あの人が？」

「さっき表で並んでるのを見たわ。間違いないわよ」

「そう……。あの人、この映画を嫌ってたのよ」

「どうして？」

「結婚したとたん、これの主演の話が舞い込んで来て。結局、この映画のせいで、まともな結婚生活ができなくなったわけですもの。恨んでるの」

「分るわ」

「絶対に見ない、って言ったけど、招待のハガキを一応渡すだけは渡しておいたの。じゃあ、来てくれたんだ……」

布子は嬉しそうだった。

「おい、布子」

と、監督の多田がやって来て、「この後、何かあるのか」

「え？」

「パーティがあるのは分ってる。途中で抜け出して、一杯やらないか」

「でも——くたびれちゃって」

と、布子は笑って、「キャンペーン、これから追い込みだし。早く帰って休みたいんです」

「そうか。——そうだな」

と、多田は肯《うなず》いて、「ま、その内な」

「ええ。ありがとう、監督」

多田がステージ近くへ戻って行くと、布子はホッと息をついた。

「布子。——あの人、布子に気があるんじゃない？」

と、晴美は言った。

「そう思う？——そうなの」

「見りゃ分るわよ。何か話があったの？」

「別に。でも、撮影中から、ずっとそんな感じだったの。——多田さん、独身だから、分るんだけど」

「へえ！　二人もプロポーズしてる人がいるんだ」

「まあね」

「じゃ、なおさらはっきり言わないと。もう夫がいるんです、って。困っちゃうわよ、その内」

「もう困ってる」

「でしょうね」

そこへマネージャーの倉林がやって来て、

「布子ちゃん。ここがすんだら、一人だけ先にパッと出てくれ」

「どうして？」

「パーティでお偉方《えらがた》が待ってる。先に挨拶しないとまずいんだ」

「はいはい」

と、布子はため息をついて、「私も自分の映画を見たいわ」

「仕方ないさ。人気者の宿命だ。じゃ、挨拶がすんで引っ込んだら、僕はここにいるからね」

「分ったわ」

と、布子は肯いた。

倉林が忙しげに駆け出して行く。

「大変ね、マネージャーって」

と、晴美が言うと、

「そう。いい人なんだけどね……」

「何かあるの？」

「あの人にもプロポーズされてるの」

晴美は、唖然《あぜん》として言葉もなかったのである……。


「ぜひ、最後までごゆっくりお楽しみ下さい」

みんな同じセリフで挨拶《あいさつ》が終る。そういう習慣にでもなってるのかね、と片山は思った。

片山と石津は、ステージのすぐ下、端の方に立って、佐野布子たちが代る代るマイクの前に立って挨拶するのを眺めていた。

「――妙なのはいませんね」

と、石津は言った。

「油断するな」

片山は小声で答えた。

何といっても、千人からの客。しかも、客席はびっしりと埋って、両側通路には立ち見客も沢山並んでいる。

もし、ここで何か起きたら――。大混乱になって、けが人が大勢出るだろう。

「ホームズ。いざってとき、踏み潰《つぶ》されるなよ」

と、片山は足下のホームズへと言った。

ホームズは、黙って片山を見上げただけだった。今は場内も静かである。もし猫の鳴き声がしたら、いっぺんで注目を集めてしまうだろう。

――片山は、客席の端の方に、布子の夫、丸山が座っているのに気付いていた。アパートへやって来た布子の話は、片山としても放っておけないものだった。

脅迫の手紙が届いたというのである。

「もちろん、そんなの、珍しいことではないんです」

と、布子は言った。「ただ、それは普通とちょっと違ってるんです。一つは、私のいるマンションに来ていること。もちろん、マンションの住所は公表していないので、いたずらの手紙などはほとんど事務所へ来ます。ところがそれは私のマンションのポストへ直接入れてあったんです」

さらに、心配なことはもう一つあって、

「文面の中で、〈お前が結婚してることは分ってる〉とあったんです。――びっくりしました。結婚したことはマネージャーも事務所の社長も知らないことなんです。それなのに……」

そして、その手紙については、もちろん倉林にも言わなかった。「結婚している」という文面を見られて、笑いとばすことはできそうになかったからである。

そして片山の所へ持って行って見せようと何日か持ち歩いている間に、その手紙は消えてしまった。どこかで失《な》くしたか、それとも落としたか、とも思ったが、バッグの奥へ入れておいたから、まずそんなことは考えられないという。

「ですから、もしかすると、あれを出した人間がそばにいて、盗んだのかもしれないという気がして……」

その手紙には、〈お前のせいで、血が流されることになるだろう〉とあったのである……。


――ワーッと拍手が起きた。

多田、布子、西の三人が袖へ引っ込む。

少しして晴美がやって来た。

「今、布子はパーティ会場のホテルの方へ向かったわ」

「そうか。じゃ、差し当りは大丈夫だな」

「そうね。パーティのときは、また人が一杯集まるから用心した方が」

「じゃあ、パーティの料理を食べる暇はないかもしれませんね」

石津が心配そうに言った。

「ともかく、席へ行きましょ」

晴美が促して、四人は、招待席に用意された四つの席へと急いだ。

ちょうど場内は暗くなり、客席が静かになった。幕が上って、白いスクリーンが広がる。

試写は始まったのである。

ゆっくりと幕が下り、場内が明るくなると、ごく自然な感じで拍手が起きた。

──映画が終ったのだ。

客席から次々に人が立ち上って、通路がたちまち人で埋る。

「──すぐに出ても大混雑よ。少し待って行きましょう」

と、晴美は言った。「布子、頑張ってたじゃないの。ねえ?」

「うん……。新人とは思えなかった」

「ニャー」

と、ホームズも同意見のようだった(?)。

しかし、石津は何も言わなかった。──居眠りしていて、拍手の音で目を覚ましたのである。

しかし……何となく、手放しでほめる気になれない、と片山は思った。どうして、と訊《き》かれたら答えられないだろうが。

その点は晴美も同じ気持だったのかもしれない。

「何だか、痛々しかったわ、布子」

「お前もそう思ったか? 俺もだ」

「ねえ。──あんな暗い役を、まるで自分のことみたいにやってのけるなんて……」

二人の男の愛に引き裂かれるようにして、死を選ぶ女。――今どき珍しい大時代的な設定の物語だが、そのヒロインを、新人のはずの布子が実によくやっているのだ。まるで自分自身を演じているかのように。

「――やあ、良かったですね」

と、石津は目をこすって、「もう終ったんですか。あっという間だったな」

「そろそろ行く？　大分空《す》いてきたわ」

晴美が立ち上る。

客席もほとんど空になって、出口付近の混雑も大分楽になっていた。

通路を歩いて行くと、あの受付にいた石毛啓子がやって来た。

「すばらしかった！　泣いちゃった、私」

と、啓子は実際に目を赤くしている。

「頑張ってたわね、布子。――あなたもパーティに行くの？」

「本当は受付を片付けなきゃいけないんですけど、受付から外されたんだから、やんなくてもいいんですよね」

と、笑顔になって、「片山さんたちとご一緒していいですか？」

「もちろんよ！　あの――布子のご両親はどうした？」

「終ると同時に、宣伝部の人が付いて。パーティの方へ先に行ってるんじゃないでしょうか」

「会場、どこだっけ？」

「このビルの向こうのKホテルです。歩いても五分くらいですから」

「じゃ、行きましょう。――お兄さん、どうしたの？」

「いや、ホームズが……。おい、どこにいるんだ？」

ホームズの姿が見えないのである。

「変ね。ホームズ！」

と、晴美が呼ぶと、ずっと端《はじ》の通路近くの席の背にピョンと飛び上ったホームズが、

「ニャー」

と鳴いた。

「あんな所に。――何してるの？」

「お客さん、眠っちゃってるわ」

と、啓子が笑って、「いるんですよね、熱心に並んだくせに、映画始まるとすぐ寝ちゃう、って人。起して来ます」

啓子がカタカタと靴音をたてて、その席へと小走りに――。しかし、ホームズはじっと片山たちの方を見ている。

「おい」

と、片山が言った。「あの席にいるの、佐野布子の亭主じゃないか」

「え？　本当？」

晴美は歩き出した。「そんな風にも見えるけど……。でも、奥さんの映画見て、眠ったりする？」

「おかしいぞ」

片山が駆け出して、晴美を追い抜いた。

「――この人、起きないわ」

と、肩を揺っていた啓子が、戸惑っている。

「どいて！――やっぱりか」

片山は、その男が丸山勇二だということを確かめて、手首を取った。

「お兄さん……」

「脈がない」

「でも……」

「たぶん――もう手遅れだろうが」

片山は青ざめた顔で、「君、救急車を呼んでくれないか」

と、啓子に言った。

「死んでるん……ですか？」

「たぶんね。石津、一緒に行って、連絡しろ。どうやら、丸山は殺されたんだ」

「分りました」

さすがに石津も目が覚めてしまったらしい。

「本当に？」

と、夢でも見ているのかという表情の石毛啓子を連れて、急いで通路を駆けて行く。

「――お兄さん」

「うん……。とんでもないことになった」

「脅迫状の通り？」

「いや……。血は流れていないが」

「ニャー」

ホームズが、丸山の座席の下へ潜り込んで鳴いた。

「どうした？」

片山が膝《ひざ》をついて、「――紙コップだ。握り潰《つぶ》してある。ちょうど、この席の真下にある」

「それじゃ――毒殺？」

「可能性はあるな」

片山はハンカチを出して、それで紙コップをそっとつまみ上げた。

「ともかく、布子に何て言うか……」

晴美の気は重かった。

せっかく頼まれていたのに、役に立たなかったのだ。――しかし、危険は布子自身に迫っているのかと思っていた。まさか、布子の夫が狙われるとは……。

「パーティ、どうする？」

と、晴美は言った。

「行くさ。――たぶん犯人もそのパーティに出てるはずだ」

「そうね」

「ただ……。誰がこのことを彼女に話すか、だな」

晴美も、分っていた。自分しかその役を果せる人間はいない、と。

「お兄さん、せめて一緒にいてね」

と、晴美はため息をついて、言った。

4

「嘘でしょ、晴美」

と、布子は言った。

晴美は兄とちょっと目を見交わした。片山が小さく首を振る。

くり返す必要はない。布子も、晴美がそんな冗談を言う人間ではないことは分っている。ただ、そう訊《き》き返さずにはいられなかったのだ。

「役に立てなくてごめんなさい」

と、晴美は椅子にかけた布子の肩に手をかけた。

「あの人……」

と言いかけて布子は、「苦しんだのかしら?」

と、片山の方へ目をやる。

「いや……。苦しがれば、周囲の人が気付くだろうからね。眠るように、穏やかな表情だったし」

本当だろうか? 自分は死んだことがないのに、そんなことが分るだろうか。

しかし、今はそう言うしかない。

パーティの控室に当てられた小部屋はしばし沈黙していた。

布子は、深く息をついて、

「ありがとう、晴美。——言ってくれて、良かったわ」

「布子……」

ドアがパッと開いた。

「ここにいたのか！」

と、マネージャーの倉林が息を弾ませて、「今、スポンサーの社長が挨拶《あいさつ》してる。君がいなきゃ格好がつかないんだ」

早口に言ってから、片山と晴美、そして布子の三人の妙な雰囲気に気付いた。

「どうか……したんですか」

「実は——」

と、片山が言いかけるのを遮るように、布子が立ち上った。

「行くわ」

「布子。——大丈夫？」

「うん。倉林さん、みんなまだパーティにいる？」

「ほとんどね」

「監督、それに西さんも？」

「もちろん。あの二人が帰るわけないさ」

「父と母もいるのね」

「ああ。少し酔い過ぎてらっしゃる様子だけどね」

「分ったわ」

布子は肯《うなず》いて、自分で足早に小部屋を出て行った。

片山と晴美は顔を見合せ、

「どうしたんだろう?」

「プロ意識かしら?」

「いや、それだけじゃないと思う。——行こう」

片山たちもパーティの会場へ足を運んだ。

それほど広い宴会場ではないが、百人を超える客でかなりにぎわっている感じだった。

石津は料理も食べずに(よほどのことであろう)、ホームズと一緒に入口近くに立っていた。

「——どうだ?」

と、片山は石津に小声で言った。

「やはり、あの紙コップに残っていたオレンジジュースから、毒物が出たそうです」

と、石津が答える。「細かい分析はこれからですが」

「そうか」

片山は肯いた。

「——初主演でみごとな演技を見せてくれた、佐野布子さんです!」

司会者が上ずった声を出す。拍手が起って、布子が正面の少し高くなった壇上に上った。

マイクを少し下げて、自分の背丈に合せる布子は、いかにも落ちついていた。

「──今日は、大勢の方々に見ていただいて感激しています」

と、布子は静かな声で言った。「私は、自分が特別な才能に恵まれているとは思っていません。自分の背丈に合った人生を送りたいと思っています。ちょうど、今マイクの高さを合せたようにです」

会場が少し当惑した。

「おい、布子、何を持ってる？」

と、片山が言った。

「グラスね。──ジュース？」

いつ手にしたのか、布子は左手にオレンジジュースの入ったグラスを持っていた。

「いつの間に……」

と、晴美は呟《つぶや》いた。

「ホームズは？」

「え？　いないわ。──どこへ行ったのかしら」

片山の目に、人の間を見え隠れしているホームズの毛並がチラッと見えた。

「あそこだ」

片山は人をかき分けてホームズを追って行く。ホームズは布子のいる壇上へと向かっているようだった。

「——皆さんに乾杯していただきたいことがあります」

と、布子は続けていた。「私、結婚することにしています」

会場がどよめく。布子は、少し声を大きくして、

「夫の名は丸山勇二といいます。ごく普通のサラリーマンで、私にとっては、この世で一番大事な人です」

誰もが食事の手を休め、雑談を止めて、布子の方を見ている。

「スターになったこの時期に、何も結婚しなくても、と思われるかもしれませんけど、今だからこそ、私は自分が普通の女でいることが大切だと思うんです。ドラマの中でも、外でも、私はいつまでも普通の女でいたいと思っています。私の結婚を祝福して下さる方は、一緒に乾杯して下さい」

拍手がパラパラと起き、グラスを取る客が次々に続いた。

「いかん！」

と、誰かが怒鳴った。「許さんぞ、俺は！」

佐野健夫だった。酔っているのか、人を押しのけて布子へ近付こうとして、逆によろけた。

「ありがとうございます」

布子は父親の声を全く無視して、グラスを上げ、「乾杯！」

と言った。

オレンジジュース。──丸山の紙コップに入っていたのも……。

「やめろ！」

と、片山が叫んだとき、布子はもうグラスのジュースを一気にあおっていた。

「ニャー」

と、ホームズが鋭く鳴く。

布子の手から落ちたグラスが砕ける。そして布子は胸を押えて喘《あえ》ぐと、そのまま棒のように壇上に凄《すご》い勢いで倒れた。

片山が駆け寄る。

「石津！　急げ！」

石津が、客の数人をふっとばして駆けてくると、布子を抱え上げた。

「運んで行け！　早く病院へ！」

と、片山は叫ぶと、マイクを引っつかみ、

「警察の者です。今、この会場にいる方は、一人も外へ出ないように！　許可があるまで帰らないで下さい！」

と、力一杯怒鳴った。

誰もが愕然《がくぜん》としている。片山の言葉にも、何の反発も起きなかった……。

「——何ですって？」

と、倉林が言った。

「へ？」

と、西和彦がポカンと口を開ける。

「けしからん！」

と、佐野健夫が顔を真赤にした。

「君、それは本当かね」

と、監督の多田が言った。

片山は、集まった人間たちの顔をグルッと見回して、

「本当です。布子さんは丸山勇二さんという男性とすでに結婚していたのです」

と言った。

「あの子……。何も言わないで」

と、佐野房江《ふさえ》——布子の母——が呟くように言った。

片山は傍に控えている石津とホームズの方へチラッと目をやった。

——大混乱の一時間が過ぎて、今はパーティ会場も閑散としている。

「ここに残っている方々は、何かの意味で布子さんと係りがあり、かつ布子さんを愛して

おられたはずです」

と、片山は言った。「しかし、布子さんは殺された。ご主人の後を追うように、です。——犯人はどう考えてもこの中にいる。そうとしか思えません」

「——どうしてそう思うのかね？」

と、多田が言った。

パーティ会場の一角、椅子を並べて、四人の男と一人の女が座っている。みんな、どこか放心したような表情が共通していた……。

「布子さんは、ご主人が殺されたと知っていましたが、毒がオレンジジュースに入っていたとは聞いていなかった。パーティ会場の中を抜けて、壇上へ向かう途中、誰かが、『これを持って』とジュースのグラスを渡したのです」

「同じオレンジジュース、か……」

と、多田は肯《うなず》いて、「確かに同じ犯人としか思えん」

「脅迫状の件を見ると、結婚の事実を知っている人間がいたことも確かです。丸山さんのことを突き止め、殺した！　しかも、布子さんまで」

「どうして彼女まで？」

と、倉林が言った。「布子を好きだったからこそ、その丸山って男を殺したんでしょう？」

「永久に布子さんを自分のものにするには殺すしかない。そう考える人間もいます」

「これ——ドッキリカメラじゃないの？」

と、西が隣の倉林に訊《き》いている。

「——この事件に関しては、犯人を見付けるのは、そう難しいことではないと思います」

と、片山は言った。

「だったら、早く見付けりゃ良かろう」

と、佐野がふてくされた顔で言った。

「毒物を使うというのは、利口な方法とは言えません」

と、片山が続ける。「毒物の種類が確定できたら、その入手経路を辿《たど》れば、犯人の見当をつけるのは容易です。ともかくこの中の誰かだとはっきりしているわけですからね」

「僕じゃないよ」

と、西があわてて言った。「僕じゃない！　ねえ、分ってるよね。僕はスターなんだぜ。スターが人殺しなんかしないよ」

「それはどうですかね。しかし、あなただって、布子さんのことを愛してたんでしょう？」

「そりゃまあ……。でも、そんな——。殺すなんて。ねえ、監督」

と、ヘラヘラ笑って見せたりしている。

多田が冷ややかに西を見て、

「お前にそんな真剣な恋ができるもんか」

と言った。「出てけ。ここに座っている資格はない」

西はムッとしたように顔をしかめたが、片山を上目づかいに見て、

「行ってもいい?」

と訊いた。

「どうぞ」

「片山さん——」

と、石津が言いかけるのを、片山は抑えた。

西は、ピョンと飛び上るように立って、

「じゃ、お先に!」

と、駆け出して行ってしまった。

「いいんですか?」

と、石津が不服そう。

「どうせ姿をくらますわけにいかないんだ、西の場合は。それに、試写会場でも、丸山にジュースなんか渡せたとは思えない。ともかく目立つからな」

と、片山は言った。「その点では、多田さん。あなたも舞台挨拶《あいさつ》をするのに、いつも他

の面々と一緒でしたね」

多田は、少し間を置いて、口にくわえていたパイプをゆっくり手に取ると、

「いや、そうとも言えない」

と言った。「——私は西とは違って人に見られても誰とは分らないだろうし、実際、待ち時間の間、ロビーとかをウロウロしていた。客の声を聞きたいからね。丸山という男に毒入りのジュースを渡すことはできただろう」

片山は多田を見て、

「やったんですか?」

と訊いた。

「——さあ、どうかな。それは君が調べてくれ」

と、多田は淡々とした口調で言った。

「そうですか。——倉林さん、あなたも布子さんにプロポーズしてたんですね」

「ええ……」

と、倉林が肯く。

「何だと!」

佐野が立ち上り、「マネージャーのくせに! 娘に手を出すつもりだったのか!」

「あなた……」

と、妻の房江が止める。「やめて。座ってよ。ね？」

「この——役立たず！　布子のそばにいたくせに！」

と、佐野は悪態をつきながら、腰をおろした。

「刑事さん」

と、倉林は言った。「僕は——本当に布子が好きだったんです。あの子は、普通のスターとは違ってた……」

「マネージャーとして、あなたは布子さんの結婚を一番早く知り得る立場にいた。——あの脅迫状をポストへ入れ、また後で盗み出したのは、あなたじゃないですか」

倉林は、少し青ざめたが、

「そうです」

と認めた。「——あの子の様子を見ていますからね、一日中。男がいればすぐに分ります。丸山さんとのことも、分ったときはショックでした。あんな脅迫状を書いたりして……。でも、後で恥ずかしくなったんです。布子を苦しめても何にもならない。それで、そっと取り戻して——」

「こいつ！」

と、佐野がまたカッとなって、「あの子を殺したんだな！」

「違います。そんなことはしません。丸山さんも、殺したりしません。——あのとき、とてもそんなことしてる時間はありませんでしたよ」

と、倉林は言い返したが、その言葉には力がなかった。

「分るもんか」

と、佐野は鼻を鳴らして、「俺は、あの子の才能を見抜いてたんだ……。あれはスターになるように生れついた子だった」

と言った。

「あなた……」

と、房江が夫を複雑な表情で見る。

「刑事さん」

と、多田が言い出した。「私を逮捕して下さい」

片山は、ちょっと戸惑った。

「というと？」

「私が丸山を殺し、布子を殺した」

「監督！」

倉林が唖然《あぜん》として、「本当ですか？」

「私はそれほど布子を愛していたのだ」

と、多田は言った。「この人間たちの中で、一番布子を愛していた。だから犯人は私だ」

沈黙があった。――誰も動こうとしない。

「片山さん」

と、石津が言いかける。

「待って下さい」

倉林が立ち上って、「僕です、やったのは」

「君――」

と、多田が面食らって、「やってない、と言ったじゃないか」

「さっきはそう言いましたが、やっぱり僕です」

と、倉林は無茶なことを言い出す。

「布子もか？」

「いや……。布子は殺しません。でも、丸山さんは僕が――」

「お前なんかに、そんなことができるか」

と、佐野がかみつきそうな口調で言った。「布子は死んじまったんだぞ！　俺以上にあの子を愛していた男はいない！」

「あなた――」

「おい、中山とか言ったな、刑事さん。俺が布子と亭主を殺したんだ」

「あなた、自分が何を言ってるか、分ってるの？」

「もちろんだ。俺は――布子を愛してた。あいつも俺を……」

佐野は、青白い顔になって、大きく息をつくと、「本当だ……。俺はあの子を……女として好きだった」

誰も口をきかない。

やがて、ゆっくり立ち上ったのは、妻の房江だった。

「あなた……。そんなことを人前で……」

「誰の前でも言ってやる。本当のことだ」

「ああ……」

房江が、よろけるように、出口へ向かって歩き出した。――そして、ピタリと足を止めると、振り向いて、

「刑事さん」

と言った。「――私がやったんです。丸山さんに毒入りのジュースを飲ませて」

片山は肯《うなず》いて、

「丸山さんが、見も知らない人からジュースをもらって飲むはずがない。もし、布子さんの親からなら、別でしょう。――お二人のどちらかだと思っていました」

「私……。丸山さんに声をかけました。布子が結婚していることは、調べて分っていましたから。もしかしたら主人と、と思って調べたんです」

と、房江は言った。「でも――主人があの子に恋していることは、ずっと分っていました。私、結婚していることも主人に分るようにしてやりました。でも、主人は諦《あきら》めない。丸山さんを殺せば、布子は主人がやったと思うでしょう。布子はとても殺せないので、その代りに――」

誰もが啞然として、入口の方を見ていた。

「――布子！」

と、多田が言った。「生きてたのか！」

布子が、ゆっくりと入ってくる。

「お母さん……。何てことを」

と、布子は言った。「私はお父さんのことを、絶対に拒みつづけてたのに」

「布子……。不安だったのよ。あの人を、あんたにとられてしまいそうで」

房江は、うずくまってしまった。

石津が、房江をそっと立たせ、連れて行った。

「しかし……どうして？」

と、倉林が呆然《ぼうぜん》として言った。

「そこの猫ちゃんがね」

と、布子はホームズを見て言った。「丸山の死を聞いて、パーティ会場へ入ったとき、入口で飲物を渡されそうになったの。もちろんほしくなかった。でもそのときに――」

と、かがみ込んでホームズの頭をなで、

「この猫が鳴いたの。――私、人の言葉を聞くように、何を言ってるか、分ったわ」

「死んだふりをしなさい、ということだ」

「ええ。私も死んだ、と思わせる。犯人は、自分のしたことがむだだった、何にもならなかった、と思うでしょう。――私、やってやろうと思いました。絶対に演技と分らないような死に方を」

多田がため息をついて、

「凄《すご》かったぞ、あの倒れ方は」

「ひどく頭を打ちました。でも、やってのけましたわ」

「確かに」

と、多田が肯く。「布子……」

「私は今、母を許しません」

と、布子は言った。「いつかは許せるかもしれないけど。だけど、佐野さん」

「布子、俺は――」

「あなたのことは、決して許せない。母をあそこまで追い込んだのは、あなたですよ」

布子は厳しい口調で言うと、「倉林さん」

「うん……」

「夫のこと、夫の死のこと。——沢山、話すことがあるわ」

「分った。——記者会見をセットしよう」

「ええ。あの映画は私だけのものじゃないわ。公開まで、駆け回らなくちゃ」

布子の目が光っていたのは、涙のせいか、それとも役者の自負のせいか。

片山には、どちらとも分らなかった。

「頑張って」

と、片山が言い、ホームズが、

「ニャー」

と励ました（?）のだった……。

三毛猫ホームズの幽霊船

1

「私を忘れた？」

と、彼女は微笑みながら言った。

——忘れるものか。忘れるわけがない。

そうだろう。自分で殺した女を、そう簡単に忘れるはずがない。

吉沢正男《よしざわまさお》は、もちろん青木恵里《あおきえり》のことを、よく憶《おぼ》えていたのである。


夜風が爽《さわ》やかな、初秋の一夜。

昼間はまだ暑さが残っているが、日が落ちると秋の気配。しかし、夜になってもここは真昼のように明るかった。

遊園地は、夏の名残りを味わおうとする若者たちで溢《あふ》れている。——もっとも、これでも昼間の混雑に比べると大分ましで、小学生や中学生がいなくなった分、遊園地の客の平均年齢は上っていた。

日が落ちてからやってくるのは、たいていがサラリーマンとＯＬのカップル。やはり若い子同士が多いが、中には中年の男と若いＯＬという「不倫風」の取り合せもチラホラ見えた。

「――ね。今度はあの〈幽霊船〉に乗りたい！」

と、志村直美《しむらなおみ》ははしゃいだ声を上げた。

「〈幽霊船〉か。――僕は怖いのはだめなんだよ」

吉沢正男は、わざと大げさに顔をしかめて見せる。「気絶しちまうかもしれない」

「いいわよ。置いてっちゃうから」

と、直美がおどける。

「冷たい奴だな、こいつっ！」

と、吉沢が笑う。

「――ね、時間、まだあるわよね」

「うん。入って一時間しかたってない」

と、吉沢は腕時計を見て言った。

「じゃ、何か食べよう。お腹空《なかす》いちゃったわ、私」

「この後、レストランを予約してるんだぜ」

「でも、お腹が空いたんだもん」

と、直美が口を尖《とが》らす。「腹が減っては何とか、って言うでしょ？　何だっけ？　何とかができぬ」

「分った分った」

と、吉沢は直美の肩を抱いて、「じゃ、軽くお腹に入れる程度にしとこう。いいね」

「うん」

二人は、ハンバーガーショップへと足を向けた。

華やかなイルミネーションで飾られたショップは、ここで手軽に夕食をすまそうという若い子たちでほぼ満席。

しかし、吉沢は何とか空いたテーブルを見付けると、直美に、

「座ってて。僕が買ってくる。普通のやつでいい？」

と訊《き》いた。

「チーズバーガー。それと、コーラ」

「コーラね。分った」

吉沢は大股《おおまた》にテーブルの間を歩いて行って、カウンターの行列の後ろについた。こういう所は処理も手早い。そう長く待たずにすむだろう。

——吉沢正男は背広にネクタイ。志村直美は明るい色のワンピース。どっちも一見して「会社帰り」と分る。

二人は同じ会社に勤める同僚で、吉沢が二十八歳、直美が二十五歳。——一応「恋人同

士」と、自他共に認めている。

この遊園地に来たのも、半分はこの後の食事と、ホテル行きが目的。月の内、週末はたいていこんなパターンでデートを続けている。

正式にプロポーズしたわけではないが、吉沢と志村直美が結婚することは、社内でも当然のことと見られていた。

吉沢はスラリと長身で足が長く、スポーツマンタイプである。直美とは二十センチも背が違うが、直美の方も小柄なりにバランスのいい体つき。

どっちも社内では目立つ立場であった。

「お腹がグーグー言ってる」

と、一人でテーブルについている直美が呟《つぶや》いていると、

「ニャー」

と、どう聞いても猫の声。

猫？——こんな所に猫がいる？

直美はふと足下へ目をやって、いやにきれいな毛並の三毛猫がじっとこっちを見上げているのに気付いた。

「あら、可愛い。どこから来たの？　アニメから抜け出して来たみたいね」

と微笑みかける。

「――ホームズ！　こんな所にいたの」

と、やって来たのは若い女性で……。

「あなたの猫？」

と、直美は訊いた。

「ええ」

と、その女性は三毛猫の方へかがみ込んだ。「迷子になっても知らないわよ」

「ニャオ」

「馬鹿にするな、って？　分ってるわ。迷子になるのはお兄さんたちよね」

「ニャー」

直美は、聞いていてふき出した。

「面白い。お話ししてるみたいね」

「ええ、そうなの」

と、その女性が言って、「さ、どこか席を捜しときましょ。石津さんが死にそうになってやってくるわ」

直美は周りを見回し、

「良かったら一緒に。――席、足りない？　私はあと一人連れがいるだけ」

丸テーブルには、椅子が五つある。

「でも──構わない？」

「ええ。ハンバーガー食べる間くらい」

「じゃ、お言葉に甘えて……。あ、来た。──お兄さん！　こっち！」

ヒョロリとノッポでなで肩の男と、がっしりした体格の男。二人とも吉沢同様、背広姿だ。

「晴美さん！　飢え死にしてませんか」

「私、石津さんじゃないわよ。──ね、こちらが相席でいいって」

「や、こりゃすみません。片山さん、早速買って来ましょうか」

「お前が一番食べたいんだろ。よし、二人で行こう。晴美、何にする？」

「私、普通のバーガーでいい。コーヒーと」

「僕はジャンボバーガーです」

「言わなくたって分ってる」

片山と呼ばれた、なで肩の男は、もう一人の男の肩をポンと叩《たた》いて、「さ、行こう」と促した。

男二人がカウンターの方へ行くと、

「私、片山晴美です。今のが兄と石津さんって──ま、私の彼氏」

「頼りになりそうな人ね」

「そうね。——そちらも彼氏と？」

「ええ。私、志村直美。彼は吉沢っていって……あ、今、ちょうどカウンターの所に……。あの女の人の次に並んでる背の高い人」

と、少し伸び上って言った……。

前の女性が、

「チーズバーガー一つと、コーラ」

と注文している。

直美と同じだな。順番を待ちながら、吉沢はぼんやり考えていた。

「七百円です」

と、カウンターの向こうの派手な制服の女の子が言った。

すると、吉沢に背中を見せているその女性は、

「次の人が一緒に払うわ」

と言ったのである。

次の人？——おい、冗談じゃないよ。

「あの、次は僕ですよ。誰か他の人と——」

クルッとその女性が振り向いた。そして、ニッコリ笑って言ったのである。

「私を忘れた？」

と……。

「――何してたの？　遅かったのね」

と、直美は吉沢の戻ってくるのを見て言った。

「ごめん。ちょっと向こうがつりを間違えて」

と、吉沢はハンバーガーと飲物をのせた盆をテーブルに置いた。

「あら。――私、コーラって言ったでしょ」

と、直美は盆の上にコーヒーが二つ並んでいるのを見て、言った。

「コーラ？　そうか。僕の聞き間違いかな。いいだろ、コーヒーでも」

「いいけど……」

「食べよう。あんまりのんびりしてると、時間がなくなる」

と、吉沢は椅子をガタつかせて引くと、座って、

「――誰だい？」

初めて、晴美に気付く。

晴美は、その吉沢という男が、いやにあわてているのに気が付いていた。

顔色が青白く、そしてひどく落ちつきを失っている。

直美も、食べ始めながら吉沢の様子に気付いたらしく、

「どうしたの？　青い顔してる。まさかコーヒーカップで酔ったんじゃないわよね」

と笑う。

「まさか。何でもないよ」

と、吉沢は笑って見せたが、どう見ても無理をしている。

「そう？　でも、何だか幽霊でも見たような顔してるわよ」

直美の言葉を聞いて、吉沢は自分のコーヒーを引っくり返してしまった。

「あ――失礼！　すみません！」

コーヒーが晴美の方へこぼれたので、あわてて言って、紙ナプキンをわしづかみにする。

「いえ、大丈夫よ。かかってないわ」

晴美は素早く立ち上っていた。

「でも……。いや、すみません」

と、吉沢が謝る。

「どうしたの？　大丈夫？」

と、直美が呆《あき》れた様子で、「手がベタベタよ」

「うん……。いや、何でもない。ちょっと洗ってくる」

と、吉沢は足早にトイレへと行ってしまった。

「お待たせしました！」

石津の誇らしげな声がして、盆がテーブルに置かれる。

「いやに数が多いわね」

「そうですか？　でも――片山さんが一つ、晴美さんが一つ、僕が三つ。ホームズさんが
……」

「いいから食え」

と、片山は言った。

ここからしばし、三人は沈黙し、ひたすら食べ始めたのである。

やがて吉沢が戻って来て、片山たちに会釈すると、こちらはさっさと食べ終えて、

「じゃ、行こうか」

と立ち上る。

「もう？　ちょっと待って」

直美があわててハンバーガーの残りを口へ押し込み、晴美の方へ、「じゃ……」

と、声をかけて席を立った。

「――いやにせかせかした連中だな」

と、片山は言った。

「何だか妙よ」

「妙って？」

「あの吉沢って男の人。本当に怯《おび》えてるみたいだった」

「怯えて？――まあ、青い顔はしてたな」

「ねえ。とてもデート中って楽しい顔じゃないわよ、あれ」

「よせよ。何か起るとでもいうのか？」

「分んないけど……。『幽霊』って言葉を聞いたとき、飛び上りそうになった」

「よっぽど、お化けが嫌いなんでしょ」

と、石津が明確な意見を述べた。「――さて、二つめだ」

「好きな奴はいないだろ」

と、片山は言った。「――おい、もう帰るか？」

「もう？　来たばっかりじゃないの」

と、晴美は言った。「ねえ、ホームズ」

「ニャー」

「分ったよ。じゃ、これからどうするんだ？」

「取りあえず、その前にある〈幽霊船〉に乗りましょ」

と、晴美は言った。

「〈幽霊船〉か。――幽霊の好きなのが、ここに一人はいた」

「失礼ね。船で巡る〈お化け屋敷〉みたいなものなのよ。お兄さん、怖かったらやめといてもいいけど」

「馬鹿言え。そんな子供騙《だま》し」

と、片山は言った。

「強がり言って」

晴美は笑って、「でも、きっと今の二人は乗らないでしょうね」

と言った。

2

「私って、結構怖いものが好きなの」

と、直美が言った。「こんな遊園地のは、大して怖くないわよね。でも、怖かったら抱きついちゃうかも。──ね？」

直美は、吉沢の腕をつかんで、

「ちょっと！　聞いてるの？」

「え？」

吉沢がハッとした様子で、「ああ。ちゃんと聞いてるよ」

「どうしたのよ、キョロキョロして」

と、直美がふくれっつらになる。

「どうもしないよ」

「嘘。さっきから様子が変よ」

「そんなことないさ」

と笑って見せたものの、吉沢の笑顔は、引きつっている。

二人は、〈幽霊船〉の乗り口の手前に並んでいた。〈乗り口〉の少し先に〈出口〉があって、もう乗り終えた男女が手をつないで出て来る。

二人は十五分ほど待つだけで、乗り口のすぐ前まで来ていた。——混むときにはこれが〈一時間待ち〉になることも珍しくない。

「ボートの前の方に乗れるわ」

と、直美は言った。「後ろじゃつまんないものね」

一つ一つのボートは小さくて、四人乗り。二人用の座席が二つ、前後に並んでいるだけである。

「——どうぞ、次の方」

と、制服を着た男がいささかくたびれたような声を出した。「チケットを」

吉沢は、アトラクション乗り放題のチケットを二枚買っていた。それを出してチェックしてもらう。

「前にお二人乗って下さい」

「さ、乗ろう」

と、直美が張り切って小さなボートに乗り込む。

ボートは一応昔の海賊船風のデザインになっていた。

「よいしょ。揺れるな」

と、吉沢が隣に乗る。

「そりゃ、水に浮かんでるんですもの」

係の男が、

「次、お二人、後ろへ乗って下さい」

と、並んでいる若い子たちへ声をかけた。

「私たち四人だから、一緒のボートがいい」

と、女の子が言った。

「そうですか。――じゃ、次の方。いいですよ、先に」

ところが、その次も四人のグループ。

「――私、一人だけど」

その後ろにいた女性がスッと前へ出て来た。「お先に乗ってもいいかしら」

「どうぞ、後ろの席へ」

と、係の男が手招きした。

「やめろ！」

突然、吉沢が立ち上って怒鳴った。「おい、早く出せ！」

「ちょっと！　何よ、急に」

直美が、吉沢の腕をつかんだ。「揺れるわよ、立つと！」

「二人で行くんだ！　そんな知らない奴なんか乗せたくない！」

吉沢は大声で言った。

「お客さん。勝手言っちゃ困りますよ」

と、係の男が顔をしかめる。「すぐ次のボートが来てるんです。遅れちゃうとまずいんですよ」

「そうよ。乗せてあげればいいじゃないの」

と、直美は言った。

吉沢は、渋々という感じで腰を下ろした。

「――失礼します」

と、その女は、吉沢たちの後ろの席に乗り込んで来た。

「おい」

と、片山が言った。「あの二人だぞ」

「そうらしいわね」

晴美が肯《うなず》く。

「こんな所で大声出しちゃ迷惑ですね。逮捕しますか」

「まさか。——でも、変ね」

と、晴美は並んだ列の前の方へ目をやった。

あの吉沢という男と志村直美を乗せたボートがゴトンと音をたてて動き出し、暗いトンネルの中へ消えて行くのが見えた。

もう一人、後ろの席に座った女の後ろ姿が見えたが、すぐに闇の中へ消えて行く。

「何で騒いでたのかしら?」

「聞こえただろ」

「ええ。でも、あの吉沢って人の言い方、真剣だったわよ」

「うん……。そうだな。いやにむきになってた」

と、片山も肯く。

「ニャー……」

ホームズも、何となく気にしている様子である。

ところで——警視庁捜査一課の刑事がどうしてこんな所に来ているかというと……。別に大した理由はない。

晴美が、勤め先でこの遊園地の招待券をもらったので、「タダなら行こう」というわけでやって来たのである。

「俺は忙しいんだ」

と、片山はブツブツ言っていたが、結局、ついて来た。

石津刑事の方は、もちろん「晴美さんとならばどこへでも」というわけ。一緒にいられりゃどこだっていいのである。

「——課長に見付かったら何と言われるかな」

と、片山は言った。

「いいじゃない、ホームズの護衛について来たって言えば」

晴美は別に刑事じゃないから、気楽なものである。

「あ、そろそろですよ」

石津の方が何だかワクワクしている様子である。

列がどんどん進んで、片山たちの番が来た。

「——おい、一つ問題があるぞ」

と、片山が言った。

「なあに？」

「この四人。どう座る？」

晴美もそこは考えていなかった。どう考えても、アンバランスになるのは避けられない。

「後ろに石津さんとホームズね。前が沈むよりいいでしょ」

と、晴美は結論を出した。

――確かに、前の席に片山と晴美、後ろに石津とホームズが並ぶと、ボートは多少妙なバランスにはなったが、これ以上安定させるのは無理に思えた。

「動きます」

と、係の男が、くたびれているのか、投げやりな調子で言って、ボートはガクンと揺れると、動き出した。

もちろんボート自体にモーターがついているのではなく、水面下のワイヤーか何かで引張られているのである。

ボートはすぐに真暗なトンネルの中へと入って行く。――何も見えない。

空気がひんやりとして、かすかな横揺れをくり返しながら、ボートは進んで行く。ピチャ、パシャ、とボートの起す波がたてるかすかな音。

「何も出ないじゃないか」

と、片山が言ったとたん、目の前にグワッと大口を開けたサメが現われ、「ギャッ！」

と、片山は頭をかかえた。

「しっかりしてよ。始まったばっかりよ」

と、晴美が顔をしかめる。

「しかし……何でサメが〈お化け〉なんだ？　おかしいじゃないか！」

「そんなこと言ったって仕方ないでしょ」

兄妹でもめている内、ボートは青白い炎が水面を覆う〈死者の池〉の中へ滑り込んでいく。

水の中からヌッと手が出て来てボートのへりをつかんだり、パシャッと水をはねさせて引っかけたり。

「——冷たい！　風邪引くじゃないか」

と、片山は文句を言っている。

「シッ。お化けが笑うわよ、色々言ってると」

「鬼が笑うんだろ、来年の話をすると」

——ボートは静かに次の場所へと進んで行く。

水死人が浮かんでいたり、中世の水責めの刑を人形が再現している場所があったり。

片山も少し慣れて来たのか（？）、なかなかよくできた仕掛けだ、と感心する余裕もあったのである。

「もう少しよ。──大丈夫？」

と、晴美に訊《き》かれて、

「ああ。結構面白いじゃないか」

などと片山は強がっている。

「石津さん。どう？　怖くない？」

と、声をかけると、

「いえ、ちっとも」

という返事。

「そう？」

と振り向くと、石津はギュッと固く両目をつぶっていたのである……。

〈処刑の沼〉という文字がボートの前方に青白く光りながら浮かび上った。

低い門のような所をくぐると、そこは天井の高い、広い部屋で、水路の両側には絞首台が作られていて、今、正《まさ》に死刑が執行されようというところ。

「いやだな、生々しくて」

と、片山は顔をしかめた。「こういうのは嫌いだ」

「ま、作りものよ」

と、晴美が肩をすくめる。「でも──結構リアルね」

一本の太い木（もちろん作りものだろうが）の枝から、男の体がぶら下って、ゆっくりと揺れている。首に巻きついたロープが、キュッキュッと音をたてる。

「でも――」

と、晴美が言った。「あの人形だけ、どうして背広着てるのかしら」

そのとき、ホームズが、

「ニャーッ！」

と、甲高い声を上げた。

「どうした？」

と、片山が振り向く。

「見て、お兄さん！」

と、晴美が指さしたのは――。

「助けて……」

と、か細い声が聞こえて、絞首台のかげからフラフラと出て来たのは、ずぶ濡れになった女だった。

「よくできた人形ですね」

と、石津が感心して、「本当に生きてるみたいだ」

「あの人――さっき、バーガーショップで会った人よ」

と、晴美は言った。「じゃあ……」

片山も、違った目で、枝からぶら下って揺れている背広姿の男を見上げた。

「あの男だ」

「そうよ。──大変！　石津さん！　このボートを停めて！」

石津があわてて立ち上ったが、

「どうやったら停まるんです？」

「その狭くなった所でボートから岸へ飛び移るんだ。そして非常ベルのボタンを押せ」

「はい！」

言う方も言われた方も、やや考えが足りなかった、と言うべきだろう。

「ヤッ！」

と、石津はボートのへりに足をかけて、ポンと岸の方へ飛んだが──。

ボートは固定されているわけではないので、当然スッと反対側へ動き、従って石津は予測した半分の距離も飛ぶことができなかったのである。

「あ──」

と、晴美が言って──ザブン、と派手に水しぶきを上げ、石津の体は水に落っこちた。

「石津！　大丈夫か！」

「何ともありません！」

と、石津は答えて——何ともなくはないのだが——やっとこ岸に上った。

そして、〈非常〉という文字が明るく浮かび上っている方へ駆けて行くと、ボタンを押す。

ウワーン、というサイレンの音が鳴り響き、ボートは停止した。

「あの人……吉沢さんが——」

と、志村直美が涙声で石津にすがりつく。

「早く助けて！」

石津は、作りものの木によじのぼって行くと、枝からぶら下って揺れている吉沢という男の体を何とか下ろそうとした。

枝は見かけほど丈夫には作っていなかったらしい。石津が体重をかけると、メリメリと音をたてて、根元から折れてしまったのだ。

「ワッ！」

と、石津も声を上げて、一緒に下へ落っこちた。

片山たちは、何とか停ったボートを岸へ寄せて、上って来た。

「石津さん！　大丈夫？」

と、直美が駆け寄る。

「大したことは……」

と無理に肯《うなず》いて見せたが、「いてて……」

と、腰を押えて呻《うめ》く。

すると、

「いてて……」

と、もう一人誰かが呻いた。

「――おい」

と、片山が言った。「生きてるぞ！」

首を吊《つ》っていたはずの吉沢が、ウーンと呻きつつ、起き上ったのである。

「吉沢さん！」

と、直美が声を上げて、「しっかりして！　すぐ救急車が来るわよ」

「救急車？」

吉沢は、目をパチクリさせて、「君、どうかしたのか？」

と訊いたのである。

「見ろ」

と、片山は枝から吉沢へつながったロープを手に取った。「首を吊ってたんじゃない。ロープは胸に巻きつけてある。その上から背広を着せて、別に短いロープを首に一巻きしてあるんだ。これで枝からぶら下げれば、首を吊っているように見える」

「僕が……首を吊った?」

と、吉沢が首へ手をやって、「ワッ!」

と飛び上った。

「落ちついて!」

と、片山は吉沢の肩に手をかけ、「今、警報を聞いて係の人間がやってくるでしょう。ともかく一旦《いったん》外へ出てから話を聞きますよ」

「話を聞くって……」

「警察の者です」

と、片山が手帳を覗《のぞ》かせる。

吉沢と志村直美が啞然《あぜん》としていると、

「どうしました!」

と、ボート乗り口の所にいた係の男が、どこかに通路があるのだろう、絞首台のセットの裏側から現われた。

「あの女だ!」

と、吉沢が口走った。「あいつ! だから一緒に乗りたくないって言ったんだ……」

「一緒に一人で乗ってた女のことですね」

と、片山は訊いた。「どこへ行きました? 一人でボートに乗ってったのかな?」

「さあ……。でも、そんなわけはないんです」

と、吉沢は独り言のように言った。

「というと？」

「いや——。だって、あの女は……もう死んでるんです。生きてるわけはないんです……」

吉沢の言葉に、居合せた誰もが顔を見合せた。

一人、端然として岸辺に座り、ボートの揺れる暗い水面を眺めているのは、ホームズであった……。

3

「失礼ですが」

と、片山は声をかけた。

その女性は、仕事の手を休めて振り向いた。

「何か……」

「青木さんですか」

「ええ」

「青木久仁子《くにこ》さんですね」

「そうですけど……」

「警察の者です」

青木久仁子は、不思議そうに片山を眺めて、

「私、何かしました？」

「いや、そうじゃないのです。娘さんのことで、ちょっと」

青木久仁子の顔が少しこわばった。

「どうぞ」

と言って、「——座る所、ありませんね。ちょっと片付けます。お待ちになって」

「いや、立ったままでも——」

「どうせ一息入れるところだったんです」

青木久仁子は、もう五十歳近いはずだが、体つきはがっしりしている。

片山は、背丈ほどある大理石が、人間らしい形に削られ、刻まれつつあるのを眺めた。

「——どうぞ、こちらへ」

広いアトリエの奥に、日当りのいい小部屋があった。

片山は可愛いソファに腰をおろして、

「創作中に、お邪魔してすみません」

った。

「いいえ。どうせ一日二日を争うもんじゃありません」

と詫《わ》びた。

トレーナーとＴシャツ。首にかけたタオルは、汗をたっぷり吸い込んでいるに違いなか
青木久仁子は、女性彫刻家として、その世界ではかなり知られた存在なのである。

「娘のことで、というと、どんなことでしょうか」

と、青木久仁子は言った。

「娘さんは恵里さんとおっしゃいましたね」

「ええ。――亡くなって、もう三年たちます」

「恵里さんは自殺したんですね」

「そうです。車に乗って、崖《がけ》から車ごと飛び込んで……。海中から車は引き上げられましたけど、死体は上がりませんでした」

「捜索したが、見付からなかったんですね」

「海流の強いところで、沖へ流されたのだろう、ということでした」

片山は、青木久仁子の淡々とした口調に肯いてから、

「もしかしたら、娘さんが生きておられるかもしれないと思われたことは？」

青木久仁子は、足を組んで、

「――親なら、目の前に子供の遺体を見ても、もしかしたらそっくりな別人かと思います。特に恵里の場合は、発見されなかったんですから」

と微笑んだ。「でも、もし生きていたら、三年も何も連絡して来ないはずはありませんからね」

「それはそうですね」

「で……何のご用ですの、刑事さん?」

「吉沢正男をご存知ですか」

青木久仁子の顔から表情が消えた。

「二度と聞きたくないと思っていた名前です」

「娘さんの自殺はその男のせいですね」

「ええ……。娘は騙《だま》されたんです。遊ばれ、捨てられて……。私もいけなかったんです。男というものについて、教えたことがなかったんですから……」

青木久仁子は片山を見て、「ご存知ですか。私は結婚せずに恵里を産んだんです」

「聞きました」

「恵里は、私の自信に対して反発していたんだと思います。それが却《かえ》って吉沢みたいな男に、あの子を近付けてしまったのかもしれません」

「なるほど」

「でも――どうして刑事さんが、吉沢や恵里のことをお訊《き》きになるんですか」

と、青木久仁子は不思議そうに訊いた。

「実は、吉沢正男が殺されかけたんです」

「そうですか」

と、彫刻家は大して驚く様子もなく、「大方、また女を騙したんでしょ」

「それが――助かったんですが、相手の顔を見ていましてね」

と、片山は言った。「恵里さんだった、と言うんですよ」

青木久仁子が愕然《がくぜん》として、まるで自ら彫像にでもなったかのように、動かなかった……。


「志村君」

と、肩を叩かれて直美は顔を上げた。

「あ――部長さん」

「一人で昼飯か？　何だか侘《わび》しいじゃないか」

と、部長の井上《いのうえ》はさっさと直美の隣の席に座った。

「一人の方が気楽なんです」

と、直美は言って、井上と目を合せないようにしていた。

もうランチタイムもピークを過ぎていて、いくつか空席がある。井上はたぶん直美を見かけてわざわざ入って来たのだろう。

「聞いたよ」

と、井上はいつもの尊大な口調で、「まあ、男には色々過去があるもんさ。何もない男なんて、面白くも何ともない」

「あっても別に面白くありませんけど」

と、直美はそっけなく言った。「私に何かお話でも？」

「いや……。君が落ち込んでるかと思ってね。少し慰めてあげたいと思ったんだ」

「ご親切に。でも、私、別に落ち込んでいませんから」

もちろん本当のところは、「落ち込んでる」なんてものじゃなかった。

あの騒ぎは、新聞ネタにならないわけがなかった。しかも、吉沢が、並んだ列の人々の前で騒いだりしたこともあって、結局何もかも知れてしまった。

〈幽霊の仕返し？〉〈裏切られた女の執念！〉〈プレイボーイに天罰を！〉

色んな見出しが、新聞や週刊誌を飾り、TVのワイドショーもいくつかやって来た。

直美は、知りたくもないのに吉沢の過去の恋について、あれこれ聞かされることになってしまった。

青木恵里という娘のことも、TVの報道で初めて知った。どこで見付けて来たのか、TVには写真も出た。大分古い写真だったので、あのとき同じボートに乗った女性かどうか、直美には分らない。しかし、当の吉沢が、「彼女だった」と言っているのだから、確かなのだろう。

それにしても、吉沢がすっかり悪者にされてしまって、直美の立場も微妙である。両親からは、「婚約は取り消しにしたら」と言われていて……。まあ、親としては当然のことだろうが。

でも、直美はまだ吉沢を信じている。いや、正確には、信じたいと思っている。

今、吉沢は会社を休んでしまっていた。社内でも笑われ、噂される身。——本当は直美だって気が重いのだが、休んだりするのも何だかしゃくで、出て来ている。

ただ、お昼ご飯などは誰とも一緒にする気になれなくて、こうして一人で食べているのだった。

「まあ、強がることもないよ」

と、部長の井上はいきなり直美の手に自分のごつい手を重ねて来た。

「やめて下さい」

と、直美は顔を赤らめて、「——手をどけて」

「な、力になってやるよ。どうだ？　一度ゆっくり付き合わないか？」

井上が前から直美にいやにやさしかったのは事実だが、こうも図々《ずうずう》しく出て来られるとは……。頭に来た直美は、井上の足をけとばしてやろうかと思った。

しかし、何と言っても直属の上司だ。

すると、

「ニャー」

と、猫の鳴き声がした。

猫？——もしかして……。

「何だ？」

井上は、まるで手品みたいにテーブルの上にヒョイと現われた三毛猫を眺めて、「食いもんでもほしいのか？——邪魔だ！　あっち行け」

手で追いやろうとして、逆に素早く飛んで来た爪に引っかかれ、

「いてっ！」

と飛び上った。「こいつ……」

「失礼します」

と、やって来たのは——。「ホームズ。よくやったわ。痴漢だったの？」

「ニャー」

「何だ、お前は」

と、井上がムッとした様子で、「人のことを——」

「あ、刑事さんの妹さんですね」

と、直美が言うと、井上はギョッとした様子で、そそくさと行ってしまった。

「ありがとう」

と、直美は片山晴美に礼を言った。

「どういたしまして」

と、晴美は隣に座って、「ご一緒しても？」

「もちろん！——ホームズ、だったわね。ありがとう。いやな奴なの、あの部長」

「ニャー」

「見るからに分る、って言ってるわ」

直美は笑って、

「久しぶりだわ、笑ったのって。あれ以来、気がめいって」

「当然よね。——あ、ランチ下さい」

と、晴美は注文しておいて、「吉沢さんは？」

「ずっと休んでます。出て来られないんでしょ、みっともなくて」

と、直美は肩をすくめた。「昔のことだし、どっちか一方だけが悪かったとも言えないかもしれないけど……。でも、やっぱりあの人が悪かったんでしょうね」

「あのときボートに乗った女性のこと、はっきり憶《おぼ》えてる？」

「いえ……。だって、ボートの乗り口も薄暗かったでしょ。それにあの人は私たちの後ろの席だったから」

「あの〈処刑の沼〉まで来たとき、何があったのか、思い出した？」

直美は、ランチを食べながら、

「さあ……。何しろ突然だったし。急にボートが揺れて、私、立ち上ったの。何があったのかとびっくりして振り返ろうとした。そしたら、ボートがもっと大きく揺れて、水に頭から突っ込んでしまって。――浅いでしょ、あの水路。頭をぶつけたみたいで、気が遠くなって……。溺《おぼ》れかかってたのかもしれない」

「で、気が付いたら、岸に上ってた、と」

「そうなんです。吉沢さんがあそこからぶら下って――。他のボートがいくつか通ってったんですけど、まさか本物の人間だなんて思わなかったんでしょうね」

直美は息をついて、「もし――その恵里さんって人が化けて出たのなら、どうして吉沢さんを殺さなかったんでしょう」

「そうね。――当人に話してみるしかないわよね」

晴美は、自分のランチが来て、食べ始めながら、「――これから吉沢さんに会いに行くんだけど、一緒に行かない？」

直美はちょっと迷って、

「でも――仕事があるし」

と言ってから、「行く！」

と、しっかり肯《うなず》いたのである。

「——どなた？」

と、しばらく間があってから、返事があったが、やっと聞き取れるくらいの声。

「吉沢さん。私。直美よ」

と、インタホンへ呼びかける。

「ああ……。入ってくれ」

——吉沢は、なかなかしっかりしたマンションに住んでいた。

豪華とまでいかないにしても、こうしてインターロックも完備している。

晴美たちは、インターロックの戸が開くと、中へ入った。

エレベーターで三階へ上る。

ドアを叩くと、やがてゴトゴト音がして、

「——誰？　一緒に誰かいる？」

と、吉沢の声がドア越しに聞こえた。

「片山さんよ。あの刑事さんの妹さん」

「ああ……」

やっと、ドアが開いた。「――よく来てくれたね」

「どうしてるかと思って」

と、直美は言った。「入っても？」

「もちろんさ。――もう見捨てられてるかと思った」

薄暗い。――部屋の中も、カーテンを引いてしまっているのである。

「どうしてカーテンを閉めてるの？」

「覗《のぞ》かれてるんだ。TV局とかカメラマンとか。油断も隙もありゃしないよ」

「そんな……。もう大丈夫よ。TVだって、いつまでもあなたを追い回しやしないわ」

直美が窓の方へ歩いて行って、カーテンに手をかけると、

「やめてくれ！」

と、吉沢が甲高い声を上げた。「いや――ごめん。でも、閉めといてくれ、気分が落ちつくんだ」

「それなら……」

と、直美は言った。「でも――大丈夫なの？」

「ああ。もちろん。元気なもんだよ」

しかし、見たところ、とても「元気」とは見えない。目の下にくまができ、青ざめて頰はこけてしまっている。

「眠ってないんじゃないの？」

と、直美は言った。

「いや……。少し寝不足かな。でも……しょうがないだろ。これを何とかのり切らなくちゃ」

と、吉沢は弱々しい微笑を浮かべた。

「その後、何か変ったことは？」

と、晴美が訊《き》く。

「変ったこと？――大してありませんね。恵里だっていう女から、夜中に何回も電話がかかることぐらいかな」

「じゃあ……」

「いや、別の女の声なんです。――恵里の声なら分りますよ」

と、吉沢は少し遠くを見るような目つきで言った。「恵里……。本当の恵里なら、ため息一つだって、彼女と分ります」

「吉沢さん――」

「いや、直美。ごめん。君を好きだよ、もちろん。でも、恵里は僕を連れて行きたがってるんだ」

吉沢は淡々とした口調。

「あの世へね。——僕もその方がいいのかもしれないって気がして来てる」

「ちょっと！　しっかりしてよ」

と、直美が声を大きくして、「おかしくなっちゃったの？」

「僕が？　とんでもない。——恵里は僕を救ってくれようとしてるんだ。そうだろう？

僕は以前、本当にろくでなしだった。でもあの子は真剣に愛してくれていた。あの子を捨てたりして、僕は馬鹿だった……」

吉沢はグスグス泣き出した。

直美と晴美は、思わず顔を見合せていたのである。

そのとき、インタホンのチャイムが鳴った。吉沢が弾かれたように飛び上って、

「来た！　僕を連れに来たんだ！」

と叫んだ。

「落ちついて。玄関の所みたいよ」

晴美が立って行ってドアを開けると、がっしりした体つきの女性が立っていた。

「吉沢さん、いらっしゃる？」

「どちら様ですか」

「青木恵里の母です」

「連れて行く？」

「青木——久仁子さんですね」

「ええ」

と、女性彫刻家は中へ入って来た。「吉沢さん。お久しぶりね」

「どうも……」

吉沢が頭を下げる。

「二度とお会いすることはないと思っていたわ」

と、青木久仁子は落ちついた声で言った。

「でも、どうしても確かめたくて。——本当に恵里を見たの？」

「はい」

と、吉沢は肯いた。「間違いありません。もちろん、生きていたのかどうかは分りませんけど……」

「私は現実的な人間よ。大理石はちっとやそっとの力では彫れません。その手応《てごた》えが現実です。——もし、あなたが本当に恵里を見たのなら、恵里は生きているんだわ」

青木久仁子は早口にそう言って、「それだけ分ればいいの。——じゃ、失礼するわ」

と出て行きかけ、

「——あなたが、吉沢さんの婚約者？」

と、晴美を見た。

「いいえ。私はそちらへお邪魔した片山刑事の妹です。婚約者は志村直美さん、彼女です」

と、直美の方へ目をやる。

青木久仁子は、じっと直美を見つめていたが、

「この男が、あなたの愛情に値するほど成長しているといいけれどもね」

と言って、足早に立ち去って行った。

4

ホームズが、あるマンションの前で足を止めた。

「どうかしたの？」

と、晴美が訊く。

「おい、このマンションなのか？」

と、片山は見上げて、「ずいぶん立派じゃないか」

「これじゃないのよ。ホームズ、あんた、勘違いしてるんじゃない？」

「ニャー」

と、ホームズは「心外だ」とでも言うように声を上げ、スタスタ歩いて行く。

「待って！――もう、気位が高いんだから！」

晴美はブツブツ言いながら追いかけて行く。

片山と石津もその後に続いた。

「何か言いたかったのかもしれないな」

と、片山は言った。

「あそこへ引越そうってことだったんですかね」

と、石津が言った。

「あんなとこに住めるわけないだろ、刑事の給料で」

この片山の意見には、ホームズといえども納得しないわけにはいかなかっただろう。

「――ここよ」

と、晴美が足を止める。

夜、もうじき真夜中の十二時になろうかというところ。

「本当にお化けが出たんですかね」

と、石津が言い出した。

「どうかな。――ともかく行ってみよう」

片山たちはマンションの中へ入って行った。

晴美がロビーのインタホンで吉沢の部屋を呼び出すと、

「はい！」

と、志村直美の声。

「直美さん。片山晴美よ」

「良かった！　吉沢さん、出てっちゃったんです」

「出てった？　どこへ？」

「あの――今すぐ行きます」

直美はかなりあわてている様子だ。

すぐに直美がエレベーターでロビーへ下りて来た。

「直美さん――」

「待ってたんです！　吉沢さん、さっき電話に出て」

「誰からの？」

「恵里って人からだって。――間違いなく本人だって言うんです」

「それで？」

「あの遊園地の〈幽霊船〉の所で待ってる、と言うんです。すぐに行かなくちゃ、と言って。片山さんたちが来るまで待ってて、と止めたんですけど、聞かないんです」

「――よし、行こう」

と、片山が言った。「〈幽霊船〉か。――本物の幽霊に会えるかな」

「ニャー」

と、ホームズがせかせるように鳴いた。

片山たちがこうして夜遅く出向いて来たのは、今夜、十二時に青木恵里が迎えにくると吉沢が言い出したからである。

それを聞いて心配になった直美が、吉沢のマンションから片山へ電話して来たのだ。

「どうせなら、初めから遊園地で待ってる、と言ってくれりゃいいのに」

と、車の中で片山は言った。

「幽霊ですから、歩いてもくたびれないのかもしれませんね」

と、石津が真面目な顔で言ったが、ジョークだったとしても、誰も笑わなかった。

「――こんな時間に、遊園地が開いてるの？」

と、晴美が訊《き》く。

「そうらしいです。週末で、オールナイトとか」

「一晩中ジェットコースターに乗る奴がいるのか」

と、片山は首を振って、「信じられない」

やがて、遊園地が見えて来た。――確かに明るい照明が夜空の一角を白く染めている。

片山たちは急いで中へ入ると、真直《まっす》ぐ〈幽霊船〉へと向かった。

「――あ、この前の刑事さんですね」

と、制服姿の男が声をかけて来る。〈幽霊船〉の乗り口の係の男である。

「やあ、君か」

「さっき、例の男の人がボートに乗って行きましたよ」

と、係の男は言った。

「じゃ、今、中にいるのか？　一緒に乗ってったのは？」

「女の人です。二人で一つのボートに」

「この前一緒だった女と同じだったか？」

「いえ、全然違います」

と、係の男は即座に首を振った。「今夜の人は、ずいぶん年輩でしたよ。体つきのがっしりした人で」

「青木久仁子だわ」

と、晴美が言った。

「我々も行こう。中で何か起るんだ、きっと」

と、片山が言ったとき、甲高い音で警報が鳴り渡った。

「ボートが停った！」

と、係の男が操作盤へと駆け寄る。「やっぱり、この前と同じです。〈処刑の沼〉の所で誰かが非常ボタンを押したんです」

「中へ入る通路があるんだろう？　案内してくれ」

と、片山は言った。

「こっちです。——暗くて危いですよ」

晴美は、直美へ、

「あなたはここにいて」

と言った。

「でも——」

「ね、私たちに任せて」

晴美にくり返し言われて、

「分りました」

と、直美は肯《うなず》いた。

片山たちが、係の男についてトンネルの中へ姿を消す。

直美は、不安な気持で待っていた。

ボートが停ってしまったので、そう大した人数ではないが、列を作っていた何人かの客は、他のアトラクションへと足を向けたらしい。

乗り口の辺りには、誰もいなくなって、直美は一人で立ちつくしていた。

ふと、背後に足音らしいものが聞こえて、直美は振り向こうとしたが——。突然、布がスポッと直美の頭にかぶせられた。同時に首を腕でギュッと挟まれ、声を上げられない。直美は必死でもがいた。バッグを投げ捨て、手を振り回したが、真後ろにいる相手には届かなかった。

首をしめつける腕を何とか外そうとしても、次第に力は入らなくなり、意識が薄れてくる……。

そのとき、

「ワッ！」

という叫び声がして、首に巻きついていた腕が離れる。

直美は地面に膝《ひざ》をついた。駆けてくる足音。そして猫の鳴き声……。

これは夢なのかしら？　幻覚？

直美にはよく分らなかった。そして、そのまま意識を失って地面に倒れたのだった——。

「どう、気分は？」

ぼんやりした視界に、やさしい声が聞こえた。

誰だろう？　私のことを心配してくれている……。

直美は、やがて視界がはっきりしてくると、自分が病院のベッドらしい所に寝かされており、晴美がこっちを覗き込んでいるのだと知った。

「晴美さん……」

と言って咳込《せきこ》む。

「無理しないで。首をしめられたんだから」

と、晴美が言った。「もう大丈夫。犯人は逮捕したわよ」

「犯人って……」

「吉沢よ」

――直美は、今聞いた言葉が自分の頭の中をゆっくり巡っていくのを感じた。

「吉沢さんが……私を殺そうとしたんですか？　どうして？」

「保険金。あなた生命保険に入ったでしょ」

「生命保険……。ああ、何だか彼の友だちに頼まれて。――そう。彼を受取人にしたんだわ。でも、ジョークみたいなもんだった。でも――」

「それが必要になったのね。あなたを自殺と見せかけて殺そうとした。そのために、あの騒ぎを起したんだわ」

「あの騒ぎ？　じゃ、彼が狙われたんじゃなかったんですか？」

と、直美が訊く。

すると、ドアの開く音がして、

「やあ、大丈夫かい？」

と、片山が病室に入って来た。

「ニャー」

下の方なので、姿は見えないが、ホームズも一緒である。

「どう？」

「うん。吉沢が自白した」

と、片山は肯いた。「ともかく、女と遊ぶのにも金が必要だったし、あのマンションだって金がかかる。大分追い詰められて、困ってるところへ、昔の女の一人とバッタリ出会った。あの遊園地でね」

「でも、青木恵里じゃなかったんでしょう？」

「もちろんさ。青木恵里は間違いなく死んだんだろう。気の毒だがね。——ただ、吉沢はあの前の晩、青木恵里とバッタリ出くわす夢を見ていたんだ。そしてそっくりの状況でその女と会った。——かなり悪いことをしている女で、吉沢はその女と組めば、直美君を殺せると思い付いた」

「それで、あの幽霊騒ぎを起したのね」

「ああ。自分で首吊りの真似をして見せ、わざと過去の出来事を話題にさせた。自分はノイローゼになったふりをしてとじこもった」

「ニャー」

「そう。自分の部屋を薄暗くしていたのも、疲労で参っているというメイクに気付かれないためだ。ホームズは、ちゃんとメイクの匂いで分ってたんだろう」

「直美さんを絞殺して死体を遊園地のどこかの木に吊し、自殺したと見せかける。世間は幽霊のたたりとでも思ったでしょうからね」

「アリバイ作りに、恵里の母親と一緒にボートに乗るなんて、大胆だな。ボートの係の男を買収して、ボートがあそこで停るようにしたんだ。そして自分は助けを呼ぶと言って、通路を通って外へ出た」

「そして、直美さんを後ろから襲った、ってわけね。間に合って良かったわ」

と、晴美が微笑んだ。「でも――もちろん、直美さんは辛《つら》いでしょうけど」

直美の胸はチクリと痛んだ。でも……。

「私は大丈夫。もっと辛いのは、あの青木恵里さんのお母さんですよね。一度は娘が生きてるかもしれない、って希望を持ったでしょうから。――私、それだけでも、吉沢が許せない」

と、直美は言った。

晴美は、直美の手を取って、

「偉いわ」

と言った。「あなたは吉沢にはもったいない人だと思ってた」

「ニャー」

ホームズが、ベッドの上にヒョイと上って来た。そして少しザラつく舌で直美の頬をペロッとなめた。もしかしたら、涙が少ししょっぱかったかもしれない。

「ありがとう……」

と、直美は言った。

「――ホームズには分ってたんだろうな。あれが吉沢自身でやったことだったって」

「首を吊るふりをしたこと?」

「うん。だって、思い出してみろよ。石津が吉沢を助けようとして、あの枝にぶら下ったら、枝はあっさり折れちまったんだぜ。つまり、あの枝は一人分の体重にしか堪えられなかったんだ。吉沢以外の誰かがあんなことをしようとしたら、枝が折れてたさ」

「あ、そうか。――共犯の女は?」

「もちろん、捕まった。吉沢は、たぶんあのマンションを維持していくために、他にも何かやってるんじゃないかな。これからうんと絞り上げてやる」

「いくらでもどうぞ」

と、直美が言って、ホームズの鼻先をチョンとつついた。「あなたも、引っかいてやる?」

「ニャン」

と、ホームズが答えた。

青木久仁子は、長いこと、その大理石を眺めていた。

ここに、あの子を刻もう。——やっと、その決心をしたところだった。

この事件で、久仁子の中で何かがふっ切れたのである。——これまでは、かすかな望みを捨て切れず、娘を彫ることを拒んで来た。

でも——もういい。ここで決心しなければ、恵里だって可哀そうだ……。

久仁子は、大きく息をついて、大理石に向かって立った。

そのときチャイムが鳴って、久仁子は、ちょっと顔をしかめると、玄関へ出て行った。

「——どなた?」

と、ドアを開けると——。

「お母さん」

と、恵里が言った。

「——え?」

久仁子はポカンとしている。

「私。——恵里よ」

と、その娘は言った。「船に拾われて、記憶をずっと失ってたの。でも、今度の事件のニュースで、何もかも思い出して……。お母さん！　私よ。恵里よ」

久仁子は、目をパチクリさせるばかり。

「私……そんなに変った？」

と、恵里が言うと、久仁子はやっと口を開いて、

「彫らなくて良かったわ」

と言った。「あんた、ずいぶん太ったものね」

三毛猫ホームズの噂話

1

「こちらが――」

と、レストランの支配人は得意げに言った。「一番すばらしい眺めをお楽しみいただけるお部屋でございます！」

客の感嘆の声を期待していたとしたら、支配人はやや失望することになっただろう。

そこに居合せた客の間からは、しばし何の反応も起らなかったからである。

「あの……お気に召しませんか？」

と、支配人は二重顎《にじゅうあご》になった首を伸して、客の顔を窺《うかが》った。

「いえ……。とても結構です」

と、若い女性の方が言った。「本当にすてきな眺めだわ」

とは言ったものの、少しも気持はこもっていなかった。

「ね、お兄さん？」

と、ヒョロッと長身の男性の方へ向く。

「え？　ああ……。そう。すてきな部屋だよ。なあ、お前もそう思うだろ？」

支配人は、その男性が誰に向かって言っているのか、一瞬分らなかった。そこには兄妹二人しかいないようだったのである。ところが、下の方から、

「ニャーオ」

と、猫の声がして、支配人は初めて一匹の三毛猫が同行して来ていることに気付いたのである。

「あの……恐れ入りますが」

と、支配人はおずおずと、「そのお猫様はご一緒で――」

「そうなんです」

と、妹の方が言った。「決して邪魔はしません。すみませんけど、一緒にいさせて下さい。私どもの親代りなので」

「はあ……。さようで」

支配人は、変った客には慣れている。こういう商売をしていれば当然のことだ。

しかし、「お見合」に、親の代りに猫がついてくる、というのは初めてだった。

「では、こちらでお待ち下さい」

と一礼して、「何かお飲物を」

「私、コーヒーを」

と、妹の方が言った。「兄には紅茶。猫にミルクを。冷たいままで」

「かしこまりました」

どんなときも、いやな顔をしてはいけないのである。支配人は大真面目に承って、その個室を出て行った。

「——目が回る」

と、片山義太郎は手近な椅子に腰をおろした。「陰謀だ！」

「何言ってるの、しっかりしてよ。ねえ、ホームズ」

「ニャー」

「俺が高所恐怖症なのを知ってて、地上五十階のレストランで見合させるなんて、どうかしてる！」

「でも、大丈夫よ」

と、晴美が言った。「これで、お兄さんのお望み通り、お見合の相手には断られるわ」

「変なこと請け合うなよ」

「ニャー」

一人で（？）面白がっているのは、三毛猫の、おなじみホームズである。

今日は片山のお見合——晴美の見合と思った石津刑事がやけ酒で酔って兄妹のアパートで眠っていた——で、仕掛け人はいつもの叔母《おば》、児島光枝《こじまみつえ》である。

両親を亡くしている片山兄妹のために、「何とか結婚相手を見付けるまでは死ねない！」

と——そうでなくても死にそうにないが——張り切っている。

「じゃ、お兄さん、窓に近い側の席に。背を向けておけば大丈夫でしょ」

「いや……少しでも外に近いと思うと、座ってられない」

「じゃ、反対側にくる？」

「外を見てたらめまいがする」

「それじゃ、どうするのよ」

「目をつぶってるから、どっちでもいい」

「呆《あき》れた」

「着いたら起してくれ」

「列車に乗ってるんじゃないわよ」

片山義太郎は高所恐怖症の他に、女性恐怖症、血を見ると貧血を起すというくせもある。

——心やさしい男なのである。

とはいえ、見合相手と会わずにすませるわけにもいかない。叔母との付合いというものもある。

「五分で終らせよう」

「無理よ。お昼を食べるのよ。一時間はかかるわ」

「じゃ、この部屋を一階へ持ってってくれ」

と、片山が言っていると、廊下からけたたましい笑い声が聞こえて来た。

「来たか」

片山は何とか立ち上った。

「まあ、義太郎ちゃん！」

と、入ってくるなり甲高い声で、「早かったのね！　一刻も早くお会いしたかったのね」

「車が空《す》いてて……」

と、片山が呟《つぶや》くように言っても、当然児島光枝の耳には入らない。

「さ、お入りになって」

と、児島光枝が手招きするまでもなく、別に立ち止っていたわけでもない三人の客は個室へと入って来た。

父親は見るからに謹厳実直な教師タイプ。これは、前もって「中学校の校長先生」と聞かされていたための印象ではない。

母親は、夫に比べるとやや派手な感じで、いかにも児島光枝の友人らしいタイプである。

娘は——当然この娘が片山の見合相手であるが——一見して母親と似た顔立ちで、しっとりした感じの美人である。しかし、母と娘をはっきり分けているのは、母の「明」に対する娘の「暗」とでも言おうか。

どことなくうつむきがちな印象の娘だった。

「こちらが、私のお友だちの早瀬《はやせ》さんよ」

と、光枝が紹介する。「ご主人と奥様の文江《ふみえ》さん。それと——お嬢さん。芳江《よしえ》さんとおっしゃるの」

「初めまして」

と、ほとんど聞き取れないくらいの声で言って、娘は頭を下げた。

「これが片山義太郎ちゃん。——ま、こんな席で『ちゃん』もおかしいわね。れっきとした刑事さんよ。妹の晴美ちゃん。それと……」

ピョンとテーブルへ飛び上ったホームズを見て、光枝が呆気《あつけ》に取られながら、「飼猫のホームズ」

と紹介し、ホームズも、すかさず「よろしく」とでも言うように「ニャー」とやったので、早瀬芳江の顔に、やっと笑いが浮かんだ。

「——さ、どうぞ席に。すてきな眺めね。義太郎ちゃん！　見てごらんなさい！」

光枝は、すっかり片山の高所恐怖症を忘れている。晴美が、

「こちらの芳江さんを拝見している方がすてきな眺めですって」

と言って、笑わせる。

かくて——片山の、いつもながらの「気の進まない」お見合が始まったのである。

「——ともかく、おとなしくて、そりゃあ気立てのいいお嬢さんなの。何しろお父様が校長先生ですからね。教育面では理想的。ねえ？」

光枝の言葉に、早瀬竜一《りゅういち》はやや照れたようで、

「いやいや、なかなかそううまくは行きません」

と、首を振った。「しかし、幸い、親にほとんど心配をかけることなく、ここまで育ってくれました」

「そうね。少し外へ出ればと親の方が思うくらい、いつもうちにいて。たまに出かければ図書館とか美術展とか」

と、文江が肯《うなず》く。

「今はお勤めでいらっしゃるのね」

と、晴美が訊《き》く。

「はい。二年目になります」

と、芳江は答えた。

昼食が進んで、やっと少し雰囲気もほぐれて来た様子。

「危いお仕事ですのね」

と、芳江の方から初めて片山へ声をかけた。

「いや、格別には……。僕でつとまるくらいですからね」

片山としては真面目に言っている。

そこへ、

「失礼いたします」

と、支配人が入って来て、「早瀬芳江様に、お電話でございますが」

「はい。すみません」

芳江が当惑した様子で、「どうして、ここへかかって来たのかしら」

と、席を立ち、

「失礼して……」

芳江が出て行くと、話は最近の中学校事情に移って、早瀬竜一がいかにも話し慣れた口調で話題を提供する。

さすがに学校の先生だな、と片山は感心して聞いていたが……。

「お兄さん」

と、晴美がそっと顔を寄せて、「芳江さん、遅すぎない？」

そういえば、見合の席で当人が長く席を空けてしまうというのも珍しい。

「そうだな」

「気分でも悪いのかも。――ちょっと見てくるわ」

と、晴美は席を立とうとして――。

「ニャー」

と、ホームズが鳴いた。

「お兄さん……」

晴美が目を見開いて、「後ろ……」

「うん？」

片山は振り向いて、「何だ、いつの間に戻ったんです？」

と言ったのは——。

そこに、早瀬芳江が立っていたのである。でも……何だかおかしい。

片山は、やっと気付いた。芳江は、片山の後ろのガラス窓の外にいたのである。

どうして外にいるんだ？　あんな所で……。

片山は、芳江がガラスに貼りつくようにして、ほんの十センチほどの狭い張り出しの上に立っていること、そしてここが地上五十階の高さであることを思い出して、とたんにスーッと血の気がひいてしまった。

「大変！」

晴美が叫んだ。「芳江さん——飛び下りるつもりよ」

「おい……。何とかしてくれ」

片山の方も青くなって、膝《ひざ》がガクガクしている。

「しっかりして！　芳江さんを助けなくちゃ！」

早瀬竜一と妻の文江は、呆気に取られているだけで、

「あの子――何してるのかしら？　片山さんに失礼じゃないの」

などと呑気《のんき》なことを言っている。

「そうだな、戻ったら、よく意見してやろう」

「しっかりして下さい！」

晴美が大声で言った。「芳江さんを止めなくちゃ。今はともかくそれが先決です」

児島光枝は、さすがに他人なので、事態を分ってはいる。とはいえ、やはりオロオロするばかりだったのである。

晴美が、他の人たちなど待っていられないというので、部屋を飛び出す。とたんに目の前にいた誰かとぶつかってしまった。

「キャッ！」

と、尻《しり》もちをついて、「――石津さん！」

石津刑事が、少し照れくさそうな表情で立っている。

「どうも、ゆうべはすみません」

と、石津は頭をかいて、「すっかり勘違いしちゃって」

「ちょうど良かった！」

晴美は立ち上ると、「ね、その人を助けなきゃいけないの！」

「はあ？」

石津はわけが分らず、キョトンとしている。「何してるんです。あんな所で？」

と、石津はやっとガラス窓の外の早瀬芳江に気付いて、「窓ふきの職人さんですか」

「いいから、こっちへ！」

晴美は部屋を飛び出し、石津はあわててその後を追った。

「——義太郎ちゃん」

児島光枝が、やっと言った。「芳江ちゃんは……」

「知りませんよ！　まさか——道を間違えたわけでもないんだろうし」

片山も何とか立ち上り、フラフラと個室を出る。

「どこか出られる場所があるはずです」

と、晴美が支配人を問い詰めている。

「しかし——そんなことはとても危いです」

と、支配人が当り前のことを言った。「おやめになった方が……」

「誰も、私がやるなんて言ってないでしょう！」

晴美がかんしゃくを起しかけているところへ、片山が駆けつけて来た。

「お兄さん！」

「警察の者です。あの窓の外へ出る方法は？」

「さあ……。出て何をするんです？」

「僕が出るわけじゃ——」

と、片山が言い出すと、

「支配人！」

と、店のコックが走って来て、「台所の窓から外へ出ちゃった女がいます」

「案内して！」

と、晴美は言った。

2

「芳江さん」

と、晴美が言った。「——芳江さん、聞こえてる？」

風が強い。何しろ五十階の高さである。当然だろう。

晴美は大きく息をして、わずかに外へ身をのり出した。

「晴美さん！　いけません！」

と、石津が後ろから抱き止める。

「ロープでつないであるでしょ。大丈夫よ」

「しかし……」

「私が一番いいわ。女同士でなきゃできない話かもしれない」

「ニャー」

「ホームズも、ここはだめよ。風が強過ぎて、吹き飛ばされちゃうわ」

晴美は、精一杯首を伸して、芳江の方を見た。

芳江がまだ落ちずにいるのは、奇跡みたいなものかもしれなかった。相変らずピタッとガラス窓に背中をつけて、顔は真青である。スカートや髪の毛が風で激しくはためいていた。

「――芳江さん。聞こえてる？　目を開けなくてもいいわ。もし聞こえてたら、肯《うなず》いて見せて」

――長い時間がたったようだが、やがて芳江が小さく肯いた。

「良かった！――ね、ロープをそっちへ伸すから。それを腰に巻きつけて、聞こえる？」

芳江がゆっくりと晴美の方へ顔を向けると、目を開けた。

「芳江さん。――何があっても、死んじゃいけないわ。人はやり直す権利を持ってるのよ。生きたくても生きられない人が、死にたくないのに死んでいく人がいくらもいる。あなたは若くて、いくらでも未来があるのに。どうして？――さあ、今、長い棒に結びつけたロープをそっちへ差し出すから」

芳江はゆっくりと首を横に振って、

「死なせて……」

と言った。「その方が……みんなのためにいいの」

「ちっとも良くないわよ」

と、晴美が言い返す。「うちの兄が——何て言ってるか分る？『俺と結婚するのがいやで、あの子は死のうとしてるんだ。俺はどうせみんなに嫌われてるんだ』って」

後ろで聞いていた片山がびっくりした。

「俺は何も——」

と言いかけて、「ま、いいか」

どうとでも利用してくれ、というところである。確かに今は早瀬芳江を連れ戻すことが第一だ。

キッチンの窓から、風が吹き込んでくる。従業員たちも、気が気でない様子。

「ね、兄はいつも女の人にもてないから、やけになってるの。少しやさしくしてあげて」

と、晴美は段々エスカレートしている。

「そんな……。とてもいい人だわ」

と、芳江は言った。「そう伝えて下さい。思いやりのありそうな人だ、って」

「自分で言ってやって。妹の言うことじゃ、信じないから」

「いいえ……。やっぱり、私、死ぬしかないの」

と、芳江は言った……。

——晴美は、一旦《いったん》窓から引っ込んだ。

「汗かいた！」

と、息をついて、差し出されたタオルで汗を拭《ふ》く。

「どうだ？」

と、片山が訊《き》く。

「今のところは、戻る気ないわね。でも、あんな状態じゃ、強い風が来たら危いわ。とても長くもたない」

「何とか手はないのかな」

と、片山は首をかしげる。

「あの……」

と、おずおずと言ったのは、母親の早瀬文江。「娘は……どんな風でしょうか」

「いつ落ちてもおかしくない状態です」

と、晴美がはっきりと言う。「何とかしなくちゃ。お心当りはないんですか」

「さあ……。一向に」

と、困惑し切った表情。

「ご主人は？」

「はあ……。人様を騒がせて、とんでもない娘だ、と言ってロビーから動こうとしませ
ん」

晴美はため息をついた。

「何かあったはずですわ、こんな思い切った行動に出る前に。男性とのこととか。お気付
きにはならなかったんですか？」

「それが……全く……」

と、文江は途方にくれている。

「ニャー」

と、ホームズが鳴いた。

片山は、

「どうした？」

と振り向いて、「電話がどうかしたのか？」

ホームズは、キッチンの片隅の電話に、前肢《まえあし》の一方をのせていたのである。

「電話……。そうだわ！　芳江さんは電話に出て、何かショックを受けたのよ。誰からか
かって来たのか」

「訊いてみよう」

　支配人を呼んで、片山が電話のことを訊くと、

「——はあ、『そちらで今日お見合をしている、早瀬芳江さんをお願いします』と。名前は申されませんでした」

「何も言わなかったんですか？」

「『どちら様でしょうか』と訊きますと、『友人です』とだけ」

「男ですか」

「いえ、女の方でした」

「女か……」

　ふと晴美が思い付いて、

「その電話、何時でしたかしら？」

と言った。

「はあ、確か……。一時の予約のお客様が少し早くおいでになったときでした。そう……。一時の十分くらい前だったでしょうか」

「十二時五十分ごろ。——お兄さん」

「何だ？」

「芳江さんの勤め先に飛んで。誰か、ここへ電話した人がいるかもしれないわ。突き止め

て」

「十二時五十分か……。昼休みだな」

と、片山は肯いた。

「OLが一番電話しやすい時間よ。もし……」

「もし？」

晴美はじっと兄を見て、

「芳江さんは、死ぬのがみんなのためにいい、と言ったわ。もし、誰かに振られたとかなら、『彼のため』だろうし、自分が何か悪いことでもしたのなら、『自分のせい』だろうし……。分るでしょう」

片山はゆっくりと肯いた。

「分る気がする。――よし、行ってみる。ホームズ、来るか」

「ニャン」

女心は女でなけりゃ、と言ったのかどうか、ホームズはピョンと台から飛び下りて、片山の足下へと駆けて来た。

「石津。晴美を手伝ってやってくれ」

「はい！」

と、石津が力強く答える。

片山は、ロビーへ出た。

「叔母さん」

児島光枝が、ロビーに突っ立っている。

「義太郎ちゃん！　どう？　もう、とても見てられなくて」

「何とか考えてるところです。じゃ」

片山は急いで行きかけて、ロビーのソファにじっと身じろぎもせず座っている早瀬竜一に目を止めた。

近付いて、

「早瀬さん」

と、声をかける。「娘さんに何か言ってあげたらどうですか」

早瀬竜一は、片山を見ようともしなかった。そして、一言、

「放《ほ》っといてくれ」

とだけ言うと、口をつぐんでしまう。

――何か知っている。

片山はそう思ったが、今は父親にかかずらっているときではなかった。

ポケットから、早瀬芳江の〈身上書〉を取り出すと、広げる。

「勤務先、と……。これか」

「——早瀬芳江でございますか？」

と、受付の女性が言った。「お待ち下さい……。あ、今日は休暇を取っておりますが」

「そうですか」

と、片山は肯《うなず》いた。「やっぱりか……」

わざとらしく、小声で付け加える。

受付の子は興味をそそられたようで、

「あの——早瀬にどんなご用件でしょう？　伝言することでもございましたら」

と、ちょっと上目づかいに片山を見る。

「いや、実は——」

と、片山は小声になって、「あなたは、早瀬芳江さんと親しい？」

と訊く。

「ええ……。まあ、そうですね、知ってますけど」

同じ社員だ。知っているくらいは当り前である。「知らない」と言うと、面白い話を聞き損ないそうで、惜しいのだろう。

「実は、ちょっと調べてるんです、早瀬さんのことをね」

「まあ、どんなことを？」

「今ね、彼女に見合の話がありまして。これ、他の人にしゃべってもらっちゃ困るんですがね」

「絶対にしゃべりません！」

ますます目が輝く。

「実は――ちょっと噂があるんですよ」

「噂？」

「そう。早瀬芳江さんには別の恋人がいる、という。しかも――まあ、手っとり早く言えば、不倫の仲らしい彼氏がいる、とね」

「そ、そうですか」

と、舌なめずりせんばかり。

「どうでしょう。その類《たぐい》の噂を聞いたこと、ありませんかね」

「それは……」

と、受付の子は悔しげに、「私……よく分りませんわ」

「そうですか。そういう点、よく知ってらっしゃるような方はいませんかね」

と、片山が訊《き》くと、

「ちょっと」

と、後ろで声がした。

「はあ?」

振り向いた片山は、バサッと、頭から何やら白い粉をかけられた。——塩だ。

「人のことをこそこそかぎ回って! 帰んなさい!」

と、三十歳前後かと思えるその女性は、片山をキッとにらんで言った。

「あの——」

「人には誰だって隠したいことがあるのよ! 人の弱味を暴いて商売にしようなんて! 塩で浄《きよ》めてやらなきゃ、おさまらないわ」

「あの——そうじゃないんです」

と、片山はせっせと塩を払いながら言った。

「ニャー」

と、ホームズが鳴く。

「人のことだと思って、面白がってないでくれよ」

と、片山がにらむ。

塩を振りかけた女性は、不思議そうに三毛猫を連れた片山を眺めていた……。

「——何ですって?」

と、玉木《たまき》良子《よしこ》は言った。「早瀬さんが? 本当に?」

「信じて下さいよ」

と、片山はまだ髪の毛についている塩を払い落としていた。

「それは……。ごめんなさい」

と、玉木良子——片山に塩をかけた女性である——は言った。

片山は、玉木良子をエレベーターホールの奥へ連れて行って、実際のところを話したのである。

「芳江さんを助けるためには、何が彼女をそこまで思い詰めさせているのか知ることです。それであんな風に訊いてみたんです」

「つまり……不倫の恋をしてる、ってことですか」

「死んだ方が、『みんなのためにいい』というのは、まずその可能性が強いでしょう」

「そうですね」

と、玉木良子は肯いた。

「あなたは本当に早瀬芳江さんのことを心配していらっしゃるようだ。塩までかけて来るのは、普通じゃないと思ったんです」

「すみません」

と、すっかり恐縮している。

「いや、それより何かご存知のことがあったら、教えて下さい」

玉木良子は、ちょっと考えていたが、

「ぐずぐずしている余裕はありませんね」

と、片山を真直《まっす》ぐに見て言った。

「ええ。一刻を争います」

「分りました」

と、良子は肯いて、「一緒に来て下さい。たぶん席にいるはずです」

片山は、大股《おおまた》に歩いて行く玉木良子の後を、あわててついて行った。

良子は、オフィスの真ん中を突っ切って、広い窓を背に机に向かっている管理職らしい男の方へと歩いて行き、その前に立った。

「内田《うちだ》課長」

と、良子が言うと、少し髪の薄くなった、四十代半ばくらいの男が、寝不足らしい顔を上げる。

「何だ、玉木君か。どうした？」

と、その男は言った。

「内田課長、正直に答えて下さい」

「何だよ、怖い顔して」

と、内田という男は笑った。「何を答えろって？」

「早瀬芳江さんとはどういう仲ですか」

内田が啞然《あぜん》とする。もちろん、玉木良子の声はよく通るので、周囲も一斉に手を休めてそっちを見た。

「おい！　何を言い出すんだ」

と、内田は真赤になって、「そんな人聞きの悪いことを――」

「課長が新人の女の子に手をつけるのは有名です。私もその一人だったんですからね」

と、玉木良子が言う。

「君……。何もこんな所で――」

と、内田があわてて、「な、今度ゆっくり話を――」

「そんな呑気《のんき》なことはしてられないんです。今、芳江さんは死のうとしてるんです。課長、本当のことを言って下さい」

「とんでもない！　そんなことを俺が――」

と、内田が立ち上る。

すると、玉木良子がいきなり平手で内田の顔を打ったのである。バシッと凄《すご》い音がして、内田は呆然《ぼうぜん》としている。

「――はっきり言って！　どうなんですか！　噂になってるんですよ、このところ」

「君……」

「ニャーッ!」

ホームズが机の上に飛び上ると、前肢《まえあし》の爪でバリッと内田の手を引っかく。

「いてっ!——おい、何だこの猫は!」

と、内田が後ずさる。

「本当のことを言って下さい! 次はこの猫が課長の目を狙いますよ」

「や、やめてくれ!——分った。分った。確かに……早瀬君とも……その……」

と口ごもる。

「彼女を手ごめにしたんですね」

「うん……。初めてだったしな、あの子。——本気になってて、このところ、こっちも困ってたんだ」

と、内田がおずおずと言った。

「何て人……。それでも年長者なんですか。恥ずかしいと思わないの?」

「俺は……。ああいう、世間知らずの子しか、俺のことなんか相手にしてくれないんだ」

と、内田はいじけている。

片山は見ていて、情なくて腹を立てる気にもなれなかった。

「ともかく、芳江さんに詫《わ》びて下さい」

と、良子は言った。

「それだけじゃないはずです」

と、片山は言った。「誰かが芳江さんに電話した。それを聞いて、死のうとしているんですから」

「俺は……何もしてない」

と、内田は言って、「いや、もちろん、電話なんかしていない、って意味だ」

「少し、小さくなってなさい！」

良子が厳しく叱ると、内田はシュンとして椅子に腰を落とした。

やれやれ……。これで「原因らしいもの」は分った。

しかし、これだけでは、芳江を救うことはできない。

どうすりゃいいんだ？——片山は、晴美に何と言ったものか、頭をかかえてしまったのである……。

3

「誰かが電話をしたんですね」

と、玉木良子は言った。

「そうです。そして芳江さんが死のうとしている。——どうしたもんかな」

片山は、ホームズの方へ、「お前、何か考えろよ」

と言ってやった。

晴美へ電話すると、まだともかく芳江は同じ場所にいて、もちこたえているということだった。

「――内田課長を連れて行きますか?」

と、良子が言った。

受付の裏側に、出入りの業者などの相手をするための簡単な応接セットが置いてあり、今片山たちはそこで話をしていた。

「あんな人でも、芳江さんは愛しているのかもしれません。――ま、その内飽きるでしょうけど。ともかく今だけでも、内田課長が奥さんと別れて、君と一緒になると言えば……」

「それはどうも違うと思いますね」

と、片山は首を振った。「芳江さんは、むしろ自分が悪いことをしているという気持で、あんなことをしたんでしょう。内田さんが何か言っても、効果は期待できないと思います」

「そうですね……。じゃ、何かいい方法が――」

「誰が電話したか、ということが分れば、何か方法も見付かるような気がするんですが」

と、片山は言った。

「十二時五十分ごろの電話……。きっと、ここの社員の誰かでしょうね」

と、良子は考え込む。

「噂になってたと言いましたね、内田さんと芳江さんのことが」

「ええ。このところ、何回か耳にしていました」

「誰が言い出したのかは……」

「それは分りません。噂って、そういうものですわ」

と、良子は言った。

すると、

「あの……」

と、衝立《ついたて》の向こうから顔を出したのは、さっきの受付の女の子。

「井口《いぐち》さん。どうしたの？」

と、良子が訊《き》く。「井口雅代《まさよ》さんです」

井口雅代は、

「さっきは失礼しました」

と、少し照れくさそうで、「実は――今のお話をうかがっていて、ちょっと思い当ったんです」

「何か？」

「今日のお昼休みに、私、当番で受付に座ってたんですけど……」

と、井口雅代は言った。「お客様がみえたんです」

「お客？」

「内田課長の奥様です」

片山と玉木良子は、思わず顔を見合せた。

「それは──内田課長に会いにみえたのね、もちろん」

「それが違うんです。早瀬芳江さんにお会いしたいとおっしゃって」

「芳江さんと？」

片山は立ち上って、「じゃ──噂を聞いたんだな、きっと。で、どう答えたんですか？」

「休みを取って、と……。課長は昼食へ出られていました。後でまた来ます、とおっしゃって」

「それで？」

「それきりです。もちろん、芳江さんのことと、何か関係あるのかどうか、分りませんけど。あ、失礼します」

電話の鳴る音に、井口雅代は急いで席に戻って行く。

「──内田課長の奥さんが電話したのなら、分りますわね」

と、良子が言った。

「ええ。しかし、芳江さんがどこでお見合しているか、どうして知ったんでしょう?」

と、片山は言った。「もちろん、話を聞いてみる必要はありますね」

「自宅へ連絡してみます?」

「番号は分りますか」

「もちろん」

良子が受付へ行って、「――ね、社員名簿を見せて。井口さん。雅代さん!」

何やらぼんやりしていた井口雅代は、

「今――電話で」

と言った。

「え?」

「内田課長の奥さんです」

「何と言って?」

と、片山も急いで出てくる。

「話があるからって、私に屋上へ来てくれ、ってことです」

「このビルの?」

「ええ。まだこのビルの中にいたんですね、きっと」

「行ってみましょう」

と、片山が促す。

もちろんホームズもついて、玉木良子と井口雅代ともども、エレベーターで一番上のフロアへ。

「屋上はその階段から行くんです」

と、良子が先に立つ。

――屋上は風が大分強く吹いていた。

「どこだろう？」

と、片山はグルッと屋上を見回した。

何も遮る物はないので、誰かいればすぐ目につくはずである。

「変だわ」

と、井口雅代が首をかしげる。「確かにここの屋上にいる、って……」

ホームズが、

「ニャーオ」

と鳴いて、タタッと駆けて行く。

「おい、どうしたんだ？」

片山はあわてて追いかけた。「ホームズ……」

胸ほどの高さの手すりがあって、その向こう側の三十センチほどのコンクリートの張り出しの上に、何かが落ちている。

「ハンドバッグだ」

片山は、手すりの間から手を伸して、そのバッグを取った。

「——あ、それ！」

と、井口雅代がやってくると、一目見て、目を見開いた。

「見憶《みおぼ》えが？」

「さっき……内田課長の奥さんが持ってらしたのです。私のとよく似てるな、と思ったんで、憶えてます」

「すると……」

片山は、ちょっと息をついて、「——下へ行こう。いやな予感がするよ」

玉木良子が面食らって、

「まさか……。奥さんが？」

「分りません。下へ行けば、はっきりしますよ」

片山たちは急いで階段を下り、エレベーターで一階へと下りて行った。中では誰も口をきかない。

ロビーへ出ると、もう外の人だかりが目に入った。

「どうやら、いやな予感が的中したらしいですね」

片山はビルの外へ出た。――ほんの、幅二メートルほどの植込みに、体をねじ込むようにして、スーツ姿の女性が倒れていた。

「今、一一〇番したそうです」

と、玉木良子がやって来て息をのむ。「何てこと……」

「ともかく――あの課長さんに話をしなくちゃいけませんね」

「内田課長に……。そうでした」

と、良子が肯《うなず》く。「私がお話しします」

「しかし――」

「大丈夫です。以前は恋人だったこともあるんですから」

「じゃ、一緒に行きましょう。死体の確認もしてもらわなきゃいけない」

片山は、ビルのガードマンに後を頼んで、玉木良子を促してビルの中へと戻って行った
……。

「何です？　家内が死んだ？」

と、内田は呆気《あつけ》に取られていたが、「――冗談はやめて下さい」

と笑い出してしまった。

「しっかりして下さい」

と、玉木良子が内田の肩をつかんで揺さぶる。「冗談でも何でもないんです！　本当なんですよ！」

オフィスの中はシンと静まり返っている。

——誰もが仕事の手を休めて、内田の方を見ていた。

「そんな……。久子《ひさこ》はうちにいる。そうですよ」

久子というのが奥さんの名前と、片山は初めて知った。

「それが、ここへ来ておられたんですよ」

と言ってから、片山はチラッとホームズの方を見た。

ホームズも、ちょうど片山の方を見上げたところで——。どうやら二人は同じことを考えていたらしい。

「さ、下へ。——辛《つら》いでしょうけど、行かなくちゃ」

と、良子が少しやさしく言った。

「待ってくれ。ちょっと——電話してみるから。いいだろ？　きっとあいつはうちにいるんだ」

内田が、机の上の電話で自宅へかけるのを、片山たちは黙って眺めていた。

もちろん出るわけがない。内田は三回もかけ直して、

「——どこかへ出かけてるのかな。買物だよ、きっと。そう、そうなんだ」

　と肯いている。

「課長」

「分ってる……。死んだんだな、久子の奴……。どうして……」

　内田は急に縮んでしまったように見えた。

「ここの屋上から……」

　と、良子が言った。「即死ですよ。苦しくはなかったでしょう」

「そうか。——あいつは、痛いのとか、苦しいのとかに弱かったからな。それなら良かった……」

　内田は立ち上ろうとしてよろけた。

「課長！　しっかりして下さい」

「うん、ありがとう……」

　内田は、まるで体が思うに任せなくなった老人のように、玉木良子に支えられて歩き出した。


「——そうなんだ。——うん、そっちは？」

　受付から片山は晴美に電話をしていた。

「早くしてよ！　もう、芳江さんは失神寸前だわ。あと何分ももたないわよ」

と、晴美の声が飛び出してくる。

「そう言われても……。ともかく恋の相手は呆然《ぼうぜん》自失の状態。その奥さんは飛び下りて死んだんだ」

「ちっとも芳江さんを救うことにならないじゃないの」

「俺のせいじゃない」

と、片山は文句を言った。

ともかく——意外な、と言ってはおかしいだろうか。内田は、ビルの前で、布に覆われた妻の死体と対面した。そして妻の死を確かめると、凄《すご》い勢いで泣き出してしまったのである。

それこそ、玉木良子や片山が、何を言ってもむだという状態。——内田自身も、救急車で運ばれることになってしまった。

「——どうしましょう？」

と、玉木良子がやって来た。「芳江さんがこんなことを知ったら、自分のせいだと思って、ますます——」

「そうなんです」

片山は電話を切って、「仕方ない。ともかく、説得でなく、芳江さんを連れ戻す手段を考えます」

「私も行きましょうか」

と、玉木良子は言った。「芳江さんを説得できるとは思えないけど」

「私も行きます」

と、井口雅代が席から立ち上る。「少しは年齢も近いし」

「そうしてくれる?」

「はい」

と、雅代が肯く。

「よし! 一刻を争う。——行きましょう」

と、片山は急いでエレベーターへと歩き出したのである。

4

「お兄さん!」

ロビーへ入って行くと、晴美が駆けてくるのが見えて、片山はドキッとした。もしかして、芳江が落ちてしまったのかと思ったのである。

「どうした?」

「芳江さんはあのままよ。石津さんは何とかしてロープを渡そうとしてるんだけど」

「そうか。——同僚の二人だ」

片山は、玉木良子と井口雅代を晴美に紹介した。

「何があったか、芳江さんには言ってないわ」

「うん。黙ってないとな。——じゃ、ともかく話してみて下さい」

「分りました」

と、玉木良子が肯く。

キッチンへ入って行くと、石津がどこから見付けて来たのか、長いつりざおらしきものにロープを絡ませて、先を輪にしているところだった。

「これなら届くと思うんですが」

と、石津は言った。

「しかし、本人がつかんでくれないことにはな」

「そうですね。魚じゃないから、つり上げるってわけにもいかないし」

「私が先に話してみます」

と、玉木良子が言った。

「お願いします。石津、つかんであげていてくれ」

「はい。こっちの窓です」

石津が玉木良子を案内して行く。

「助かるでしょうか」

と、井口雅代が言った。

「どうかな……」

片山は、芳江の父親、早瀬竜一がそばに立っているのに気付いた。「早瀬さん。娘さんに何か言ってあげて下さい」

「いや……。私にはその資格がない」

と、早瀬竜一は重苦しい表情で言った。

「どうしてです？」

「自分にも愛人がいるからです」

片山は、この初老の中学校長が絞り出すような声で言うのを聞いた。

「それを、芳江さんも？」

「知っています。家内も。──仕事柄、夫婦として、うまく行っているように見せているのです。しかし、実は……」

と、早瀬竜一は首を振って、「もう四、五年になります。若い女性教師と……」

やれやれ。──これでは芳江を説得するのは無理だ、と片山は思った。

「片山さん」

と、玉木良子が戻って来て、「今、芳江さんが……」

「何か言いましたか」

「片山さんとお話ししたいそうです」

片山はドキッとした。——あんな窓から体を出してしゃべる？　考えただけで、ゾッとする。

「お兄さん。行かなきゃ」

と、晴美が言った。「大丈夫。石津さんが捕まえてくれるわよ」

「だけど——」

「ニャー」

と、ホームズが鳴いた。

片山はため息をついて、

「分ったよ」

と言った。「気絶したら、後はどうなっても俺のせいじゃないからな」

顔を出すだけで、風が吹きつけて来る。

片山は、ともかく「下を見ないこと」と自分へ言い聞かせながら、やっとこ肩の辺りまで外へのり出させた。

「お兄さん。——どう?」

と、晴美が後ろから声をかける。「芳江さんが見える?」

「いや、見えない」

「見えない? 変だわ。見えるはずよ」

「目をつぶってるからだ」

「あのね——」

「分ってる! 今、目を開けるよ」

と、片山はこわごわ上下の瞼《まぶた》を引き離した。

無理に引き裂かれる恋人同士もかくや、という感じであろう。

——どうしてあんな所に立っていられるんだ?

片山は、自分の見合相手が、信じられないような狭い場所に立って、じっと動かずにいるのを見た。

片山が何も言わない内に、芳江の方からゆっくりと頭をめぐらして片山を見る。

「片山さん……」

意外に、声ははっきりと聞こえた。

「あ、あの……気分は?」

片山は、我ながらつまらない質問をしたと思った。

「良くはないです」

と、芳江は言った。「でも、片山さんも顔が真青」

「そ、そうですか。――高い所はどうも苦手でね」

「すみません。それなのに……」

「いや、どういたしまして」

汗が流れ落ちる。しかし、それを拭《ぬぐ》おうとすれば窓枠につかまっている手を離さなくてはならない。

「しかし――僕はあなたを尊敬しますよ」

と、片山は言った。

「え？」

芳江は不思議そうに、「こんなことして、みなさんに迷惑をかけているのに？」

「そこに、こんな長い時間、じっと立っていられるなんてね。それだけだって凄《すご》い！　あなたはもっと自信を持って大丈夫です」

芳江は、まじまじと片山を眺めて、

「片山さんって、いい方ね」

と言った。

だったら、こっちへ戻って来てくれよ、と片山は心の中で言った。

「ね、どうです。——こっちへ来ませんか。動くのが辛《つら》ければ、今ロープをそっちへやります。それを体に巻きつけてくれれば」

「片山さん」

と、芳江は言った。「私、死んだ方がいいんです」

「いや、そんな人間はいませんよ。特にあなたは若いんだし。何もかもこれからじゃありませんか」

「もう……何もかもおしまいです」

「——内田課長とのことですか」

片山の言葉に、芳江はびっくりした様子で目を見開いた。

「それをどうして——」

「会社へ行って来ました。——芳江さん。ここへかかって来た電話は、誰からだったんですか」

「じゃあ……分ってるんですね」

「内田課長は、あなたとのことを認めました。でも、こんなことをするのは、そのせいだけじゃないでしょう」

芳江は息をついて、じっと目を閉じていたが——。

「ここへ、内田さんの奥様から電話がかかったんです」

「奥さんから？　何と言ったんです？」

「私とご主人とのことは、ちゃんと分っている、と。そして、『あなたのせいで、うちはめちゃくちゃになったわ』と言われました。『もう、子供を殺して自分も死ぬ』と……。私、自分のしたことを考えると、どうしていいか分らなくなって……」

「待って下さい」

と、片山は言った。「それで――あなたは何と答えたんですか」

「答える間もありませんでした。電話を切られてしまったので」

「それで、こうして――」

「こんなことをしても、罪滅ぼしになるかどうか分りませんけど……。フラフラ歩いてたら、キッチンの中で、その窓が開いているのに気付いたんです。それで、ついこんなことを……」

「飛び下りるつもりで？」

「死ぬ気でした」

と、芳江は言った。「ただ……ここまで来たら、ふっと思ったんです。この高さから落ちて、もし下に人でもいたら、って。確実に一緒に死んでしまうでしょ。こんな高さから飛び下りたらどうなるか、見当がつかなくて、それで思い切れないんです」

「なるほど」

と、片山は肯《うなず》いた。「しかしですね、そうして迷っていられるんだから、大丈夫。やり直せますよ。内田さんの方にこそ責任があるんです」

「でも、奥様にしてみれば、私が悪い女だと——。当然のことですわ」

片山は、ちょっと迷った。しかし、今は何も隠しておかない方がいい、と思った。

「芳江さん。実は……」

「え?」

と、片山は言いかけて、「いいですか、早まったことをしないで下さい」

「内田さんの奥さんは亡くなりました」

芳江が息をのんだ。

「しっかりして!」

と、片山はつい身をのり出していた。「あなたのせいじゃないんだ!」

「でも、私にそう言われて——」

「いいですか。よく考えて下さい。おかしいと思いませんか」

「何が?」

「内田さんはこれまでも、会社の新入社員の女の子に何人も手を出している。それは有名なことで、奥さんも知らなかったわけがない。そうでしょう?」

「それは……。内田さんも、『女房は、ちゃんと分ってるんだ』とおっしゃっていましたけど」

「そう。それなのに、なぜ、あなたのことで死ぬ必要があるんです？　おかしいと思いませんか」

「でも――」

「確かに、内田さんの奥さんは会社のビルの屋上から落ちて死にました。しかし、あなたがここで見合していることを、どうして知っていたのか。それに、知っているのになぜ会社へ行ったのか。ご主人には声もかけていないんです」

「どうしてでしょう」

「聞いて下さい。――今日ここでお見合することを、誰かに話しましたか」

「会社の人に、ということですか？　いいえ……。待って下さい」

と、芳江は考えて、「そう。――受付の井口さんには話しました」

「井口雅代？」

「ええ」

「そうか……」

片山は肯いた。「芳江さん。あなたは内田さんの奥さんと会ったことがありますか？」

「いいえ」

「じゃ、声も知らない」

「ええ、知りません」

片山は、石津の方へ、

「おい、ちょっと中へ入れてくれ」

と言った。

ずっと片山のズボンのベルトをつかんでいた石津が、ぐいと片山を中へ引張り込んだ。

「ワッ！」

片山は、床に転ってしまった。「そんな凄い力で引くな！」

「すみません。つい力が入って」

と、石津は頭をかいている。

「はい、タオル」

と、晴美が片山の汗を拭《ふ》いてやる。

片山は立ち上って、

「井口雅代は？」

「雅代さんなら、つい今しがた、ロビーの方へ」

と、玉木良子が言った。

「捜すんだ」

「どうしたの?」

「ここへ内田の奥さんと称して電話して来たのは、彼女だ」

「何ですって?」

と、良子が目を丸くする。

「そして、たぶん——」

片山たちがロビーへ出ると、井口雅代がよろけるような足どりで歩いて行く後ろ姿が見えた。

「雅代さん!」

と、良子が呼ぶと、井口雅代は駆け出そうとして転んだ。

そして、力尽きたという様子で、もう立ち上れなかった。

片山はそばへ行って膝《ひざ》をつくと、

「あなたが電話したんだね、ここへ」

と言った。

「——そうです」

と、雅代がうなだれる。

「奥さんが受付へやって来たのは、芳江さんに会うためじゃなく、あなたに会うためだった」

「はい……」

と、呟くように、「私……内田課長を本気で好きでした」

「まあ、あなたも？」

と、良子が唖然《あぜん》とする。

「遊びのつもりだったでしょう、あちらは。でも、私は――。本当に、何とかして奥さんから内田課長を奪いたかった……」

「それで？」

「家に無言電話を……。この一ヵ月ほど、ずっとかけ続けていました」

と、雅代は言った。「奥さんの方も、ただごとじゃないと思われたんでしょう。調べて、相手が私だと分ったんです。それで会いに来られて……」

「あなたは屋上へ奥さんを連れて行って、殺してしまった。そうだね」

「もみ合っている内に、突き落としていたんです！　でも、植込みの中へ落ちて、幸い誰も気付いていなかった。それで、何とかして、自殺に見せかけられないかと……」

「で、今日ここで芳江さんが見合しているのを思い出し、彼女と内田さんとのことを聞いていたので、奥さんのふりをして電話をかけた。死んでやる、と言ってね」

「はい……。まさか、こんなことになるなんて……」

「でも――」

と、良子が言った。「あのとき、奥さんから屋上で待っている、って電話が……」

「あれは全く別の電話ですよ」

と、片山は言った。「つないでおいて、奥さんからだった、と言っただけです。その前に一旦《いったん》下へ下りて、奥さんの死体が人の目につくように動かしておいた」

「ええ」

と、雅代が肯いた。「でも、ここへ来て芳江さんを見たら……。それに、あの内田課長の嘆きよう。――私、自分がやったことは何だったのかと思って」

「――これでともかく、一方は解決した。後は芳江さんを無事に連れ戻すことだ」

と、片山は言った。

そのとき――キッチンの方で叫び声が上った。片山と晴美は顔を見合せ、

「行こう!」

と駆け出す。

「――どうしました!」

と、キッチンへ駆け込むと、

「落ちそうになって……。あの刑事さんが――」

と、コックの一人が指さす。

片山たちは駆け寄って、啞然とした。

石津が身をのり出し、右手で芳江の手をつかんでいる。芳江は宙ぶらりんになって、全

体重が石津の右手にかかっている。

「石津、頑張れ！」

と、片山は叫んだ。「手を貸して下さい！」

コックたちもワッと寄ってくる。

「手を離すな！　すぐ引張り上げる！」

と、片山が呼びかける。

芳江は半ば失神しているようで、石津もさすがに、顔を真赤にしている。

「頑張れ！　もう少しだ！」

「石津さん！　頑張って！」

「ニャー」

にぎやかな声援は、五十階の高さに吹きつける風にも負けなかった。

「頑張れ！　もう少し！」

と、晴美が励ます。

石津は顔を真赤にして——最後のデザートの一口を飲み終えた。

「旨《うま》かった！」

ワーッと拍手が起る。

石津が芳江を引張り上げた、その頑張りに感激して、コックたちが「石津専用フルコース」を振舞ってくれたのである。

もちろん片山たちも一緒に食べたのだが、石津の皿は何でも二倍の量。石津が大感激したのは言うまでもない。

「ま、良かった」

と、片山が言った。

「お兄さんも頑張ったわよね」

「誰も言ってくれないけどな」

「ひがむんじゃないの」

「誰もひがんでなんかいない」

そこへ、

「義太郎ちゃん!」

と、児島光枝がやって来た。

「あ、叔母さん。どうです、彼女は?」

「もう大丈夫ですって。あなたによろしく言ってくれって」

「そうですか」

まだ膝がガクガクする。——今のテーブルは、窓から遠く離れていて、しかも片山はそっちへ背を向けて座っていた。

「叔母さん。デザートとコーヒーでもいかが？」

晴美にすすめられて、断る光枝ではない。

「あら、そう？」

と、早速自分で一つ椅子を持って来て加わる。「ね、義太郎ちゃん、あの子、どう？」

「芳江さんですか。――ま、高い所には強いみたいですね」

これじゃ感想にならない。――自分でも片山はそう思った。

「もちろん、会社の上司と色々あったってことで、あちらは『とんでもない』と言ってるけどね」

人は誰だって、「色々あって」普通なのだ。何もない人間なんていないし、もしいたとしても、人の痛みの理解できない、冷たい人間にしかなれないだろう。

「ま、彼女自身が立ち直るのが先決ですよ」

と、片山は言って、

「うまく逃げたわね」

と、晴美につつかれた。

「なに、正直なだけさ」

と、片山は言って、足下のホームズにそっとウインクして見せたのである。

解説

西上心太

赤川さんこんにちは。

いきなり〈さん〉付けで、なれなれしく話しかけて申し訳ありません。

ミステリー新人賞の受賞式や、出版パーティなどで、何度かお見かけしているものの、きちんとご挨拶《あいさつ》をしたことがないのにもかかわらず……。

親近感を感じてつい赤川さんと呼びかけてしまうのも、デビュー間もない作家・赤川次郎と会ったことがあるからなんです。

あれは、赤川さんが第十五回オール讀物推理小説新人賞を受賞した「幽霊列車」が単行本になった年のころだったでしょうか。大学のミステリークラブの連合会が組織され、その主催により、成城大学の講義室で赤川さんの講演会が開かれたことがありました。憶《おぼ》えていらっしゃいますか。わたしも当時、ある大学のサークルに所属しており、勇躍、新進作家の話を聞こうと参加したのでした。

あれから二十五年もたつかと思うと、月日の流れの早さに驚くばかりです。しかしあの時の赤川さんの若々しい印象が、現在もちっとも変わっていない。このことの方が驚きかもしれません。赤川さんのお顔ばかりが記憶に残り、お話の内容は情けないことにすっかり忘れてしまいましたが。

デビュー当時の赤川さんは、お世辞ではなくミステリー好きの若者にとって、期待の新星でした。団塊の世代である赤川さんとわたしとは、約十年の開きがあります。でもわたしも、「中学三年から高校一年ぐらいにかけて、ミステリーの古典といわれるものは、大体読んだと思います。ただ、当時、文庫本は創元推理文庫しかなく、ハヤカワポケットミステリは、高くて手が出せませんから、一通り、古典といわれるものを読んでしまうと、後がありません」（『三毛猫ホームズのプリマドンナ』所収「三毛猫ホームズの青春ノート——小さな自伝」より）と語る赤川さんの場合と似たような状況でした。デビュー当時の赤川さんは、「この推理小説新人賞の受賞作家は、それまで日本の現代の推理小説はまったく読んだことがなかった」（郷原宏著『赤川次郎公式ガイドブック』）そうですが、このことまでわたしとそっくりなので驚きました。

もちろん江戸川乱歩をはじめ、戦後に二度目の本格ミステリー全盛時代を築いた横溝正史、高木彬光、角田喜久雄、鮎川哲也などの作品は手に取っていました。でも当時は社会派ミステリーが幅を利かせていたせいでもないでしょうが、洒落《しゃれ》っ気たっぷりの海外ミステリーと比べ、日本作家が書く作品はどうも野暮ったいものだと思っていたのでした。もっとも、都筑道夫や天藤真といった、先進的な作家の存在を知らなかった当方の無知もあったのですが……。

そんな不満があった時に登場したのが赤川さんでした。『マリオネットの罠《わな》』『幽霊列車』、そして〈三毛猫ホームズ〉シリーズの第一作『三毛猫ホームズの推理』。

現代感覚あふれた粋な会話、すばやい展開、そしてとびっきりの謎が鮮やかに解決される終盤のカタルシス！

一世代上とはいいながら、ついに同時代を生きる、ぼくたちの作家が現れた……。

この時の強い印象は、今もなおわたしの記憶に鮮明に残っています。

喋《しゃべ》りすぎて喉《のど》が渇きました。あっ、赤川さんはお酒は飲まないんでしたね。ではちょいと失礼してわたしは水割りを……。

ふーっ。


私事ですが、数年前に評論家の池上冬樹氏ら七名で、『ミステリベスト201日本編』というガイドブックを出しました。現代の作品を多く取り上げるというコンセプトでしたので、セレクトする作品の時代を、どこまで遡《さかのぼ》るかが問題となりました。やがて一九七五年をその区切りにしようと決定しましたが、奇《く》しくもそれは雑誌「幻影城」が発刊された年だったのでした。この雑誌は戦前の忘れられた作家や探偵小説を発掘し、詳細な書誌データや評論を付加した素晴らしい雑誌でした。やがて新人賞の募集も始まり、そこから巣立っていったのが連城三紀彦、泡坂妻夫、竹本健治らを代表とする作家たちでした。

そしてその跡を追うようにデビューしたのが赤川さんでした。七十年代半ばは、新時代、新感覚の本格ミステリーが萌芽した時代であったのです。そして八十年代の冒険・ハードボイルド系小説の勃興《ぼっこう》をへて、今のミステリー隆盛の時代がやってきます。

わたしが赤川さんの登場に胸を躍らせたことと、現在のミステリー界の活況が、どこかで繋《つな》がっていたのだと思うと、本当に不思議な気持ちになります。

さて、赤川さんは〈三毛猫ホームズ〉シリーズの最新作『三毛猫ホームズの仮面劇場』で、御著作が四百三十一作！　になるようですね。平均すると毎月一・五冊くらいの割合で二十六年間書き続けている計算になります。いやはや、驚くしかありません。今度ゆっくりその尽きないアイデアの源泉の秘密をお聞きしたいと思います。

本書『三毛猫ホームズの〈卒業〉』は五編が収録された短編集です。〈三毛猫ホームズ〉シリーズでは二十五番目、シリーズの短編集としては八番目、全作品中では二百八十七番目に当たる作品となります。うーん、まるでモーツァルトのケッヘルナンバーみたいですね。

「三毛猫ホームズの〈卒業〉」は映画の『卒業』のラストシーンそのままに、恋人が結婚式場から花嫁を奪い取る場面から物語が動き出します。しかしハッピーエンドの映画と違い、小説では悲劇的な事件が起ります。花嫁はウェディングドレス姿で殺され、恋人は排気ガスを引き込んだ車の中で瀕死《ひんし》の状態で発見されます。有名な映画のラストシーンから、がらりと反転した世界を鮮やかに紡ぎあげてくれました。また花嫁を強奪された新郎という悲喜劇的な役回りをつとめるのが、片山刑事の友人です。片山刑事同様、一見お人よしですが、心根の優しさと、真の勁《つよ》さを持っているすてきなキャラクターではないでしょうか。

若い夫婦の引越しの最中、トラックから降ろした衣装戸棚から死体が転がり出るのが、「三毛猫ホームズの衣裳戸棚」。意表を突いた発端が目を引きますが、事件を通じて、夫婦の微妙な機微が浮かび上がるところも読みどころでしょう。

新作映画の試写会場で事件が起きるのが、「三毛猫ホームズの招待席」です。結婚を秘密にしていた主演女優の前に現れた、三人の求愛者たち……。彼らを含む容疑者全員が犯行の自白を始めるという、とんでもない展開は、本格ミステリーの古典でおなじみの、名探偵の解決シーンを一ひねりした面白さに満ちています。

「三毛猫ホームズの幽霊船」は、不可能な状況における犯行という点では本書中随一でしょう。船に乗って周遊するお化け屋敷の中で、カップルが襲われ、犯人らしき女はまさに〈幽霊〉のごとく、忽然《こつぜん》と消え失《う》せるのです。不可能趣味と意外な真相は、すれっからしのミステリーファンでも、あっということうけあいです。

最後が「三毛猫ホームズの噂話」。このシリーズ中でもよく登場するシチュエーション、そうです、片山刑事のお見合いの席が舞台です。お見合い相手はなかなかすてきな女性でした。ところがそのお相手は、食事の途中に席を立ったと思ったら、意外なところに姿を現しました。そうです、レストランの窓の外にいたのです。彼女は厨房《ちゅうぼう》の窓から外に出て、ビルの狭い張出しに立ってしまったのです。なにが彼女を自殺志願者にさせてしまったのか。地上五十階、片山刑事は高所恐怖症を克服して、彼女を救うことができるのでしょうか。

上司と部下、同僚、仕事仲間、夫婦。会社や家庭で直面する人間関係がもたらす愛憎……。どの事件でもその背景に、この普遍的な問題――うまくいっている時はこの上なく楽しいが、いったんこじれると実に厄介な――が介在しています。

〈三毛猫ホームズ〉シリーズは、ライトなタッチでさくさくとストーリーが展開していきますが、一見明るい物語の奥底には、誰もが陥るかもしれない〈泥沼〉が確かに存在するのです。赤川さんの作品がこれだけ読者の心をつかむのは、表向きの顔の裏に隠されたどす黒い〈悪意〉を、常に読者に垣間見させてきたからではないでしょうか。

そういえば、いつも明るく活発な妹の晴美にしても、『三毛猫ホームズの推理』ではそうとう深く傷つく経験をしています。それをじっと見守り続ける兄の義太郎も辛《つら》くないはずがないのです。またホームズの推理力も、子宮摘出――もちろんホームズが〈女性〉ということはファンの方ならご存じですね——という代償を支払った代わりに手に入れたのではないでしょうか。いつも変わらず活躍する名物トリオにも〈闇〉の部分があることを忘れない方がいいでしょうね。大食漢のマイペース人間、石津刑事だって永遠の片想いという、十字架を背負っているじゃないですか。

ある日、文楽を観に行ったところ、筋書きに赤川さんのエッセイが載っていてびっくりしたことがあります。赤川さんも最近、文楽に〈はまった〉お仲間のようですね。

文楽で使う人形の首《かしら》は、わざとぼんやりした表情にこしらえてあるそうです。しかしひとたび人形遣いが遣い始めると、喜怒哀楽、人間のあらゆる感情が、無表情な首から発露され、観客の胸に届くのです。赤川さんのキャラクターも文楽の首と一緒です。彼らには、彼ら自身が屹立《きつりつ》するほどのアクの強さはありません。しかし人形遣いが木偶《でく》に命を吹き込むように、ひとたび赤川さんの筆が走ると、彼らはページの中から生き生きと立ち上がってくるのです。一芸に秀でることは、ジャンルを超越した共通性があるんですね。

どうもわたしばかり喋り続けて申し訳ありません。もうパーティも終わりのようです。赤川さんも最後に何かおっしゃっていただけませんか。

あっ、失礼しました。作者は作品で語るのでした。なにせ赤川さんには四百冊以上に及ぶ作品があります。これからたっぷりと、赤川さんのお話を〈聞かせて〉いただくことにしましょう。

本書は一九九七年二月、光文社文庫として刊行されました。

三《み》毛《け》猫《ねこ》ホームズの〈卒業《そつぎょう》〉

赤《あか》川《がわ》次《じ》郎《ろう》

平成14年 5月25日　初版発行
令和7年 6月10日　8版発行

発行者●山下直久

発行●株式会社KADOKAWA
〒102-8177　東京都千代田区富士見2-13-3
電話　0570-002-301(ナビダイヤル)

角川文庫 12455

印刷所●株式会社KADOKAWA
製本所●株式会社KADOKAWA

表紙画●和田三造

◎本書の無断複製（コピー、スキャン、デジタル化等）並びに無断複製物の譲渡および配信は、著作権法上での例外を除き禁じられています。また、本書を代行業者等の第三者に依頼して複製する行為は、たとえ個人や家庭内での利用であっても一切認められておりません。
◎定価はカバーに表示してあります。

●お問い合わせ
https://www.kadokawa.co.jp/（「お問い合わせ」へお進みください）
※内容によっては、お答えできない場合があります。
※サポートは日本国内のみとさせていただきます。
※Japanese text only

©Jiro Akagawa 1997　Printed in Japan
ISBN978-4-04-187963-4　C0193

◆◆◆